À Amica...
de
Celyne et Numa,

WILLIAM ET KATE

www.editionsarchipel.com

Si vous souhaitez recevoir notre catalogue
et être tenu au courant de nos publications,
envoyez vos nom et adresse, en citant ce
livre, aux Éditions de l'Archipel,
34, rue des Bourdonnais 75001 Paris.
Et, pour le Canada, à
Édipresse Inc., 945 avenue Beaumont,
Montréal, Québec, H3N 1W3.

ISBN 978-2-8098-0072-2

MARK DAVID

WILLIAM ET KATE
Un amour royal

l'Archipel

1

« Cela leur a pris un bon bout de temps »

À quoi pense Kate en ce 29 avril 2011, lorsqu'elle arrive au bras de son père, devant les célèbres tours blanches de l'abbaye de Westminster ?

Au nombre de fois où, depuis leur rencontre en 2001 à l'université de St Andrews, elle a cru que ce jour n'arriverait jamais ? Aux communiqués qu'elle a dû se retenir d'envoyer à la presse depuis dix ans pour démentir une rumeur de rupture ou un ragot concernant ses origines populaires ?

À la suite de William Ier, Guillaume le Conquérant, couronné voici près de mille ans, pas moins de trente-huit souverains anglais ont franchi le seuil de la célèbre abbaye. Aujourd'hui, sous les yeux du clan Windsor dans son ensemble et de sa propre famille – et devant près de deux milliards de télé-spectateurs –, Catherine Elizabeth Middleton, vingt-neuf ans, fille aînée d'une ex-hôtesse de l'air et d'un ancien pilote de la British Airways reconvertis dans le commerce, va rejoindre devant l'autel un autre William, le prince de Galles, héritier de la couronne d'Angleterre. Il l'attend déjà, en uniforme d'apparat. L'archevêque de Canterbury va célébrer la noce.

Depuis l'annonce du mariage, les journaux ne cessent de gloser sur les origines *middle class* de Kate. « Sa mère lui a donné un nom banal, écrit ainsi le *Times*. Ses parents Michael et Carole Middleton n'ont pas misé sur un héritage quelconque pour acheter leur agréable résidence dans le Berkshire et financer les études de leurs enfants dans des établissements privés. Après des années passées à la British Airways, ils ont créé leur propre entreprise, Party Pieces, une société de vente d'accessoires de fêtes pour enfants, qu'ils gèrent sur Internet depuis leur domicile. »

Pour compléter le tableau, l'arrière-grand-père de la jeune femme, Thomas Harrisson, était fils de mineur de fond dans une bourgade du nord de l'Angleterre, Hetton-le-Hole. Chaque matin à l'aube, une sirène sonnait l'instant où son père John descendait au fond des puits de charbon pour en remonter, le soir venu, le visage couvert de suie. L'ironie veut que les mines de Hetton aient été la propriété de l'une des plus grandes familles d'Écosse, les Bowes-Lyon, dont l'une des filles, Elizabeth, épousa en 1923 le futur roi George VI et devint ainsi la Reine Mère, arrière-grand-mère du prince William. La Reine Mère est morte à l'âge de cent un ans, sans avoir jamais côtoyé un mineur, et sans avoir imaginé une seule seconde que l'arrière-petite-fille de l'une des gueules noires anonymes employées par sa famille épouserait un jour l'héritier de la couronne. L'année de sa mort, en 2002, Kate et William se fréquentaient déjà depuis un an.

La presse et l'opinion anglaises sont fascinées. Une photo publiée dans la presse anglaise à l'annonce du mariage montre un petit homme d'âge mûr, maigre, au crâne dégarni, le corps un peu perdu dans un costume presque trop grand pour lui. Ses yeux plissés par la lumière fixent l'objectif avec un mélange de fierté et de gêne. Il tient par le bras une jeune femme au visage à demi dissimulé par un voile, engoncée dans une robe de mariée à l'ancienne et apparemment bon marché. On distingue derrière eux un mur de brique, probablement celui de l'église dans laquelle ils s'apprêtent à entrer. Le cliché date de 1953. L'homme est Thomas Harrisson. À l'âge de quinze ans, pour échapper à la mine, il a trouvé un emploi d'apprenti charpentier dans le village de Tudhoe. Quelques années plus tard, il y a rencontré sa femme, Elizabeth Temple, et tous deux ont quitté le nord industriel de l'Angleterre pour la banlieue londonienne. La jeune femme à son bras sur la photo n'est autre que leur fille, Dorothy, qui s'apprête à épouser Ron Goldsmith, un camionneur. La fille de Ron et Dorothy, Carole, la mère de Kate, naîtra deux ans plus tard au Perivale Maternity Hospital.

« Il y a beaucoup de choses méprisables dans la classe moyenne, a commenté l'écrivain à succès Tony Parsons, à l'annonce du mariage royal. Mais, au moins, contrairement aux aristocrates et aux millionnaires, ils ne s'accrochent pas à leur place. Ils croient à l'amélioration personnelle. Ils sont la classe la plus cultivée et celle qui travaille le plus. »

La maison de Carole et Michael Middleton n'a rien de méprisable. Elle est estimée à un million de livres sterling – près de 1,2 million d'euros –, et se dresse non loin de Londres, entre celle du multimillionnaire John Madejski – propriétaire entre autres du club de football de Reading, ville du sud de l'Angleterre où Kate est née le 9 janvier 1982 – et celle du mannequin Kate Moss. Comment expliquer la fortune des époux Middleton ? Elle ne doit sans doute rien aux mineurs de fond de Durham. Provient-elle de leur société ? Impossible à déterminer, les comptes de Party Pieces n'étant pas publiés. En vérité, c'est du côté de Michael qu'il faut chercher l'origine de la prospérité familiale.

Il est le descendant d'une illustre famille de marchands de laine basée depuis le XVIIIe siècle dans le Yorkshire. Son arrière-arrière-grand-mère, Fanny Greenhow, est une descendante directe de sir Thomas Fairfax, l'un des principaux généraux et commandant en chef de la guerre civile anglaise, qui a combattu notamment aux côtés de Cromwell. C'est le mari de Fanny, Frank Lupton, qui assura la richesse de leurs descendants en développant les affaires de la société William Lupton & Cie, spécialisée dans la confection de vêtements. Sa fortune à sa mort était estimée à trente-trois millions de livres d'aujourd'hui.

Sa petite-fille, Olive Lupton, l'arrière-grand-mère paternelle de Kate, était semble-t-il une personnalité remarquable. Née en 1881, mariée en 1914 au notaire Noel Middleton, elle était belle, élégante, riche, cultivée, et membre éminent de la société edwardienne, faite pour une vie de privilèges. À en croire son fils Peter, grand-père de Kate, elle a élevé ses enfants dans la joie et le luxe. Sous sa houlette, tout le monde avait appris à jouer d'un instrument de musique – le violoncelle pour Peter – et il n'était pas rare qu'après un dîner familial et une marche en montagne, le salon résonne le soir venu de concerts de musique de chambre. Nous sommes loin ici de la vie des mineurs de fond ! Kate Middleton est également liée, de loin, au cinéaste Guy Ritchie, l'ex-mari de Madonna, dont la grand-mère Doris McLaughlin était une cousine d'Olive.

Rien de tout cela, cependant, n'a suffi à étouffer complètement les rumeurs autour de la jeune femme et de sa famille. Avec l'apparition de Catherine Middleton au bras du prince William, un certain snobisme s'est fait discrètement sentir dans une frange de la « bonne société ». La jolie brune, en dépit de ses études, ne serait pas seulement roturière mais franchement commune. Et lorsque la presse a rapporté, en 2008, que la jeune femme faisait sur son site Internet personnel la promotion de la société de ses parents, le mot «vulgaire» aurait été employé par certains.

Diana Spencer. Le nom qui fâche est lâché. Comment éviter la comparaison entre Kate et la mère du prince William? Dans les années 1980 et 1990, celle qui fut la personne la plus photographiée au monde depuis Jackie Kennedy a appris à ses dépens la complexité des règles d'appartenance à la famille royale. Sa détresse émotionnelle, puis sa révolte face aux usages de la cour, ses dépressions successives, ses déboires conjugaux avec le prince Charles étalés dans la presse, leur divorce finalement exigé par Elizabeth II, et jusqu'à sa mort tragique sous le pont de l'Alma: toute l'Angleterre s'est alors scandalisée de la froideur apparente du clan Windsor. Avec pour conséquence de faire vaciller sur ses bases rien moins que l'institution même de la monarchie. Diana est enterrée loin de Londres dans le parc du château familial d'Althorp, difficilement accessible, entouré par un lac. On dit que, dans les semaines suivant sa mort, en 1997, le taux de suicide dans le pays a augmenté de 17 %.

Comment ne pas songer à elle alors que ses funérailles se sont tenues dans cette même abbaye de Westminster?

Kate craint plus que tout les parallèles avec la mère de son futur époux. Mais, à l'instant de remonter la nef vers l'autel, c'est peut-être une autre peur qui l'étreint: que se passera-t-il si elle n'est pas à la hauteur ? Si sa personnalité plus discrète rend la presse et l'opinion nostalgiques de Lady Di ? Entre l'angoisse de trop ressembler à Diana et la crainte de décevoir, Kate doit inventer sa propre image.

Et puis, il y a le prince lui-même.

En 1982, alors enceinte de trois mois, Diana Spencer s'est jetée du haut du grand escalier menant aux appartements de la Reine Mère, dans le château de Sandringham, où la famille royale passe traditionnellement les fêtes de fin d'année.

Le compte-rendu de l'incident par la princesse de Galles elle-même ayant considérablement varié par la suite, on ne sait toujours pas aujourd'hui encore ce qui s'est exactement passé ce jour-là. Ce qui est certain, c'est que l'intimité entre l'enfant et sa mère s'est nouée dans la douleur. Il l'a souvent vue pleurer. À dix ans, le petit prince s'était donné pour mission de la protéger de ses ennemis. Il voulait devenir chevalier ou policier afin de veiller sur elle. À treize ans, il a exigé et obtenu d'elle qu'elle publie un démenti après que la presse se fut fait l'écho – mensonger – de l'amour fou qu'elle aurait éprouvé pour l'acteur Tom Hanks. Adolescent, William était devenu la raison de vivre de Diana, son allié indéfectible et son confident. « On dit que le petit prince étouffe », commentait, en avril 1996, un chroniqueur royal britannique. « On dit que cette façon qu'a sa mère de l'impliquer systématiquement dans chacun des événements qui affectent son existence pèse lourdement sur ses jeunes épaules. Dès qu'il lui faut prendre une décision importante, ou lorsqu'elle sait que la dernière en date de ses affaires de cœur peut, d'un jour à l'autre, se retrouver en une des tabloïds, Diana prend sa voiture et se rend à Eton, le collège de William. D'une rue voisine, elle téléphone au principal afin que l'on aille prévenir son fils, fût-ce pendant les heures de cours, et qu'il vienne la rejoindre. La veille du jour où la presse devait révéler la nature exacte des relations qu'elle entretenait avec Will Carling, alors capitaine de l'équipe d'Angleterre de rugby, la princesse avait confié à la police la mission de ramener son fils à Kensington. On m'a rapporté par la suite que le prince William avait regardé sa mère pleurer pendant deux heures avant de repartir pour le collège. Carling était l'une des idoles du jeune garçon. »

Une telle enfance n'a-t-elle pas laissé de traces ? Quelles souffrances intérieures a pu provoquer un tel apprentissage de la dépendance affective chez celui que l'on appelait dans l'enfance Will le Terrible, en raison de son agitation chronique ? Combien de fois a-t-il hésité alors que son amour pour Kate était pourtant bien réel ? Lors de leur séparation la plus sérieuse, en 2007, son premier geste n'a-t-il pas été de se ruer au Mahiki, l'un des night-clubs les plus branchés de Londres, pour monter sur une table et chanter à tue-tête *« I'm free »* («Je suis libre») ?

C'est à cette époque que les tabloïds la surnommèrent *Waity Katie* («Katie qui attend»). Mais elle n'était aucunement décidée à donner d'elle l'image d'une jeune femme passive. Avec ce qui, aujourd'hui, apparaît comme un sens du risque calculé et une grande force de caractère, elle a au contraire choisi, lors de leur séparation, de rendre coup pour coup, quitte à faire l'inverse de ce que les esprits les plus avisés lui conseillaient. Loin d'attendre passivement, elle a mis en scène son indépendance, surgissant dans les soirées londoniennes en tenue provocante, minijupe et bottes montantes, laissant la presse publier d'elle des clichés la montrant en rollers, ou plutôt *tombant* de ses rollers, de la manière la moins aristocratique qui soit. Durant le printemps 2007, elle et sa sœur Pippa sont devenues les *Sizzler Sisters* (les « sœurs pétillantes ») des nuits londoniennes les plus branchées. Une telle attitude ne justifiait-elle pas les inquiétudes de la cour sur les origines de Kate ? Qui donc était cette prétendante au titre de princesse de Galles ? Fallait-il accorder du crédit à la rumeur selon laquelle sa mère ne l'avait inscrite à St Andrews, sept ans plus tôt, que dans l'unique but de mettre le grappin sur l'héritier du trône ?

Mais ce sont justement ces railleries, ces médisances, cette mise en scène qui lui ont ramené William. Au-delà des conflits intérieurs, le jeune prince semble bien faire preuve d'une maturité et d'une grande capacité à juger les êtres sur ce qu'ils sont plutôt que sur leurs apparences. Un matin, Kate a reçu, comme premier message personnel de William depuis leur séparation, une invitation à une soirée costumée dans les baraquements de la caserne de Bovington, dans le Dorset, où il achevait sa formation militaire. C'était en juin 2007, et ils ne se sont plus quittés depuis.

En novembre 2010, un prince apaisé confirme publiquement l'annonce, faite depuis Clarence House par le bureau de son père, le prince Charles : son mariage avec Kate Middleton est fixé au 29 avril 2011. « C'est une très grande nouvelle, commente la reine depuis le château de Windsor, avant d'ajouter : Cela leur a pris un bon bout de temps. »

***

C'est sur les pentes du mont Kenya, un volcan rouge de trois milliards d'années, et deuxième plus haut sommet d'Afrique après le Kilimandjaro, que le prince William a choisi de demander officiellement la main de Kate. « J'hésitais à consulter d'abord son père, expliqua-t-il plus tard. Mais j'avais peur qu'il refuse. Je me suis dit qu'il y aurait moins de risque si je commençais par obtenir l'accord de Kate. »

Bien sûr, il était peu probable qu'elle dise non. « Elle et moi en parlions déjà depuis un moment, donc ça n'a pas été une grande surprise. Je l'ai emmenée dans un endroit sympa au Kenya et je lui ai fait ma demande. »

L'endroit sympa en question, l'hôtel Lewa Downs, montre en réalité, de la part du jeune prince, un sens impressionnant du symbole royal. C'est non loin de là en effet, dans le parc national d'Aberdare, qu'en février 1952 sa grand-mère a appris, tout à la fois, la mort de son père George VI et son accession au trône sous le nom d'Elizabeth II. Le Kenya était alors encore une colonie britannique et, d'après le *Times* de l'époque, à l'annonce de la nouvelle, «une foule silencieuse s'est ruée à travers les rues» pour voir passer la nouvelle reine en route pour l'aéroport de Nanyuki.

Quant au complexe de Lewa Downs, c'est l'un des hôtels pour amateurs de safaris les plus chic du continent, où d'anciens chefs d'État tel Bill Clinton ont séjourné. Son propriétaire, un député conservateur du nom de Ian Craig, est un ancien ami de Lady Diana. En 1998, quelques mois après sa mort, le prince Charles a envoyé là-bas ses deux fils encore choqués afin qu'ils se remettent, et c'est ainsi que William a découvert les lieux. En 2000, durant son année sabbatique entre le lycée et l'université, il y est retourné seul, et il semble que des liens particuliers se soient noués à cette occasion entre lui et la fille de Ian Craig, une très jolie blonde aux yeux bleus prénommée Jessica – Jecca pour les intimes. Quoique démenties par l'un et l'autre, des rumeurs insistantes de liaison entre les deux jeunes gens ont couru au cours des années suivantes.

Quoi qu'il en soit, c'est Jecca qui accueille Kate et William à l'automne 2010, et facilite leur séjour sur place. Par hélicoptère, le jeune couple se rend de Lewa Downs jusqu'au mont Kenya, et c'est là, sur les rives magnifiques, bordées de neige et de bruyère, du lac Alice – ainsi nommé en hommage à la duchesse de Gloucester –, que le prince fait sa proposition, sortant du fond de son sac la bague de fiançailles tant espérée.

Pas n'importe quelle bague. Le jour de l'annonce du mariage, lors de la première interview officielle du couple à la télévision, sur ITV News, le journaliste et romancier Tom Bradby demande à William : «De quelle sorte de bijou s'agit-il exactement?» Sans doute faut-il voir dans la réponse décontractée du prince un art conscient et méticuleux de manier le symbole dynastique : «On m'a expliqué de façon fiable qu'il s'agit d'un saphir et de quelques diamants. Mais je suis sûr que tout le monde le reconnaît. C'est la bague de fiançailles de ma mère. J'ai pensé que ce serait un beau geste puisque, à l'évidence, elle ne sera pas là pour partager l'émotion et la joie de tout ceci. C'est ma manière de l'y associer.»

Symbole de l'entrée de Diana Spencer au sein des Windsor, la bague fabuleuse est bien un saphir de dix-huit carats entouré de quatorze diamants dont la valeur est estimée aujourd'hui à plus de deux cent mille euros. Elle a été depuis 1981 copiée par les bijoutiers du monde entier. William raconte l'avoir gardée trois semaines au fond de son sac à dos avant de se décider. «Je faisais très attention parce que, si elle disparaissait, je savais que ça me causerait pas mal de problèmes...»

Sitôt la nouvelle connue, la presse se répand bien sûr en commentaires et supputations : n'est-ce pas prendre le risque de réveiller les vieux démons que d'accrocher au doigt de Kate le souvenir d'un mariage aussi désastreux que fut celui de Charles et Diana ? Ou bien faut-il voir là, au contraire, une sorte d'exorcisme de la part non seulement de William mais de tout le clan royal ? William et son frère le prince Harry, tous deux aussi attachés l'un que l'autre au bijou, ont passé un accord stipulant que le premier à convoler offrirait la bague à sa fiancée. Un tel geste, quoi qu'il en soit, a certainement été longuement réfléchi par William, mieux que quiconque au courant de la situation de l'institution monarchique, mise à mal après les tumultueuses années de la guerre des Galles et la désastreuse communication qui l'a accompagnée.

Tout se passe en fait comme si le récit construit par Kate et William autour de leur amour se donnait pour but de prendre le contre-pied de ce que fut la vie conjugale des parents du prince. Revenons sur la personnalité de Charles, quelque peu introverti, engoncé dans des usages royaux surannés, et dont la maladresse émotionnelle a contribué au malheur d'une Diana rebelle, attachante, mais en fin de compte autodestructrice. À l'opposé, son fils William – qu'une majorité de Britanniques plébiscite aujourd'hui comme futur roi à la place de son père – fait preuve d'énergie, de maturité politique et d'un art consommé de la communication. Il exprime de surcroît ouvertement les sentiments qu'il éprouve pour Kate, jeune femme certes téméraire, résolue à obtenir ce qu'elle veut, mais équilibrée et profondément confiante en elle-même. D'un côté, un couple explosif et mal assorti, héritier d'une dynastie empêtrée dans les vestiges de sa splendeur d'antan. De l'autre, deux jeunes gens qui se sont choisis et s'unissent par amour, un couple moderne, capable de faire de la monarchie en péril une institution rénovée prête à affronter les défis du XXIe siècle. Qui mieux que le fils de Lady Di pour conjurer le malheur à répétition des Spencer, frappés par les divorces et le chagrin? N'est-ce pas aussi cela qui expliquerait l'insistance de Kate et William à mettre en avant la normalité de leur existence? Ainsi la bague mythique des fiançailles de Diana n'est-elle plus au doigt de Kate qu'un simple «saphir avec quelques diamants», et l'un des plus beaux lieux d'Afrique un «coin sympa, quelque part au Kenya».

«Carole et moi apprenons la nouvelle avec la plus grande joie», fait de son côté savoir, très prosaïquement lui aussi, Michael Middleton, le père de Kate. «Comme vous le savez, Catherine et le prince William sont ensemble depuis pas mal d'années, et ça a été formidable pour nous parce que ça nous a permis de vraiment bien connaître William. Nous pensons tous que c'est un garçon merveilleux, nous l'aimons énormément. Tous deux forment un couple adorable, très drôle aussi, et nous passons beaucoup de bon temps à rire ensemble.»

Sur le plateau d'ITV News, les deux amoureux sont plus heureux et plus unis que jamais. Ils balayent même d'un sourire les questions qui fâchent.

«Nous nous sommes séparés un moment, c'est vrai, commente ainsi William. Nous étions tous deux très jeunes, tous deux en quête de nous-mêmes. Il est toujours très éprouvant de chercher sa voie. Nous avions besoin de grandir.»

Et Kate d'ajouter: «Je crois qu'à l'époque je n'étais pas particulièrement heureuse de la séparation. Pourtant, elle a fait de moi quelqu'un de plus fort. On découvre en soi des ressources que l'on ignorait dans ce genre de situation. Quand vous êtes jeune, vous avez tendance à vous laisser consumer par la relation amoureuse. Même si je ne m'en suis pas rendu compte sur le moment, cette période de solitude m'a fait du bien. Elle m'a donné l'occasion de me recentrer.»

Des déclarations aux antipodes de celles de Diana Spencer commentant, par exemple, la cérémonie de baptême de William, le 4 août 1982. «J'étais exclue, totalement exclue. Je ne me sentais pas très bien et j'ai pleuré à m'en assécher les yeux pour toujours[1].» Kate, elle, n'est pas du genre à se laisser exclure. Lorsqu'elle confie à ITV News, à propos de Diana: «J'aurais adoré la rencontrer, c'était évidemment une source d'inspiration à qui l'on veut

---

1. Andrew Morton, *Diana, sa vraie vie, sa vraie histoire*, Plon, 1998.

ressembler», elle ajoute aussitôt: «Vous savez, c'est une famille formidable, ceux que j'y ai rencontrés ont accompli énormément de choses et sont tous des sources d'inspiration.»

Posés, Kate et William s'attachent à passer pour le couple le plus normal et banal qui soit. C'est lui qui, à l'évidence, donne le ton, lorsqu'il confie son peu d'intérêt pour la cuisine. «Quand je rentre le soir après une journée de travail, c'est vraiment la dernière chose que j'aie envie de faire.» Ils affichent également leur résolution commune à avoir des enfants: «Nous allons faire les choses progressivement mais, à l'évidence, oui, nous voulons fonder une famille.» Et William d'insister également sur l'importance qu'ils accordent à leurs carrières respectives, responsables selon lui du délai anormalement long avant sa demande en mariage. «Cela fait longtemps que nous sommes décidés. Mais je voulais vraiment me concentrer sur ma carrière militaire. Aujourd'hui, ma formation est achevée. Nous avons décidé que c'était le moment.»

***

Le jeune prince de Galles a effectivement achevé sa formation militaire à la mi-septembre 2010, deux mois presque jour pour jour avant cette annonce. Le «lieutenant William Wales», comme on l'appelle officiellement désormais – *Wales* en anglais est le nom du pays de Galles –, est désormais pilote

d'hélicoptère chargé des secours au sein de l'escadron 22 de la RAF, affecté pour trois ans à la base
de l'île d'Anglesey, où Kate et lui ont emménagé
très simplement dans un agréable cottage.

Trois semaines après sa prise de fonction, un
employé d'une plateforme pétrolière, pris d'un
malaise cardiaque, est tombé à l'eau dans la baie
de Morecambe, à l'est de l'île de Man. Ce fut sa
première mission. « Dans les secondes qui ont suivi
l'alerte, les quatre hommes de l'équipe de secours se
sont rués dans leur appareil, qui a décollé aussitôt et
est arrivé sur les lieux moins d'une demi-heure plus
tard », rapporte la presse. « Huit minutes encore, et
l'ouvrier tiré de l'eau était transporté par les airs à
Blackpool, où il a été dirigé sur l'hôpital. »

Au-delà de la communication, les opérations de
secours entreprises par les pilotes d'Anglesey compor-
tent incontestablement une sérieuse part de risque.
Chaque équipe des hélicoptères jaunes Sea King de
la RAF se compose de quatre hommes disponibles
vingt-quatre heures sur vingt-quatre par période
de six jours : le pilote, le copilote (c'est le poste du
prince William), l'opérateur radar et le secouriste
proprement dit. Leur travail consiste à répondre
de jour comme de nuit, dans un délai de quinze
minutes maximum, à tout appel de détresse. Ce qui
n'a rien d'une partie de plaisir dans cette région où
les vents glacés et dangereux des tempêtes de la mer
d'Irlande soufflent durant les deux tiers de l'année.
Environ 30 % des missions concernent des pêcheurs

en détresse, mais la plupart des interventions se font sur les flancs escarpés du mont Snowdonia, à plus de mille mètres d'altitude, à la recherche d'alpinistes en difficulté. À en croire Derek Bellis, un journaliste local qui a couvert les missions de sauvetage durant plusieurs années, c'est cette dernière qui est la plus risquée. Lorsque les intempéries arrivent, que le thermomètre descend en dessous de zéro, il faut alors sans visibilité aucune guider l'appareil en frôlant les parois rocheuses escarpées. Le pilote accroché aux commandes n'a pour se guider que les consignes de son équipier – William – lequel, pour y voir quelque chose, est littéralement suspendu dans le vide et hurle ses instructions par l'intercom. En 2009, toujours selon Derek Bellis, Anglesey a réalisé trois cent vingt-sept missions de secours, soit près d'une par jour, pour l'essentiel concentrées dans les cinquante kilomètres autour de la base et, dans la plupart des cas, des sauvetages en montagne[1].

Il est remarquable que le choix de ce poste, en dépit des risques inhérents ou à cause d'eux, ait été celui du prince William lui-même. Son second choix, la base de Lossiemouth en Écosse, offrait d'ailleurs des défis plus périlleux encore. Ce goût pour le risque physique et l'aventure remonte à sa petite enfance. Le fils aîné de Charles et Diana manifesta très jeune une aptitude étonnante pour

---

1. Cité par Richard Palmer.

l'équitation et la natation, les disciplines sportives favorites de ses parents, mais aussi pour des activités bien plus casse-cou telles que l'escalade, la vitesse, et surtout l'aviation. Son attirance pour l'armée, elle aussi précoce, n'a fait que se confirmer avec l'âge. À seize ans, à la surprise générale, c'est en treillis qu'il débarqua à Highgrove où se tenait la réception donnée pour les cinquante ans de son père. En janvier 2006, il entra, avec son frère le prince Harry, au sein de la prestigieuse Académie royale militaire de Sandhurst, d'où il sortit avec le grade de lieutenant, avant de rejoindre le camp d'entraînement de Bovington, dans le Dorset. Les deux frères sont ainsi devenus, littéralement, frères d'armes. Harry a participé aux frappes aériennes anglo-américaines de 2007 en Afghanistan et affronté les talibans, aux côtés de troupes népalaises et britanniques, devenant ainsi le premier des Windsor à avoir foulé un champ de bataille depuis son oncle, le prince Andrew, durant la guerre des Falklands. Début 2008, William a lui-même effectué une visite de trente heures sur le territoire afghan.

Mais le goût de l'aventure n'est pas le seul motif qui a poussé William à choisir Anglesey. La base étend ses missions jusqu'à l'Irlande du Nord, ce qui fait de William, sur le plan politique, le premier membre de la famille royale en uniforme à arpenter le territoire d'Irlande du Nord depuis le début de la guerre civile, voici quarante ans. Symboliquement enfin, l'île, située à l'extrême nord-ouest de ce pays de Galles dont William est le prince, en est aussi l'une des terres les plus ancestrales. Les premières traces de la civilisation celte sur l'île remontent aux druides, et l'on peut encore contempler sur son sol quelque vingt-huit *cromlechs*, ces monuments mégalithiques composés de menhirs en cercle dominant la mer. Anglesey a été successivement envahie par les Romains, les Vikings, les Saxons et les Normands avant de tomber sous la coupe de l'Angleterre au XIIIe siècle, sous le règne d'Edward Ier. Si William voulait ancrer jusque dans son lieu d'habitation – et dans l'esprit des Britanniques – les signes de ses dispositions à la couronne, il n'aurait sans doute pas pu mieux choisir.

Et Kate ? La journaliste Katie Nicholl, correspondante des affaires royales pour *The Mail on Sunday*, et exceptionnellement introduite dans l'entourage du jeune couple, rapporte que la jeune femme a été particulièrement déconcertée en apprenant la décision de William de rejoindre la RAF. Le destin de fiancée, puis d'épouse d'un officier britannique exilée à vingt-huit ans sur une île escarpée et battue par les vents du pays de Galles n'est sans doute pas exactement ce qu'elle avait imaginé.

La nouvelle, annoncée par le bureau du prince le 15 septembre 2008, semble à vrai dire avoir surpris tout le monde, à commencer par le clan Windsor. Lorsqu'il l'a rendue publique, William rentrait d'un été passé au sein de la Royal Navy pour une mission secrète sous-marine dans les Caraïbes. Il avait activement participé à l'identification et l'arrestation d'un petit vaisseau transportant 4,5 millions d'euros de cocaïne. Même si la presse s'était largement fait l'écho de son exploit, chacun à Buckingham s'attendait à le voir revenir à la vie civile et à ses devoirs royaux. Les tabloïds en avaient alors conclu que le prince ne s'intéressait guère aux affaires de la cour. Il apparaît avec le recul que c'était tout le contraire.

William a toujours insisté sur le fait qu'il voulait voir sa carrière sur les rails et sa figure publique établie avant de s'engager officiellement auprès de Kate. Et s'il a été marqué par les tribulations de sa mère, il n'en a pas moins réfléchi, avec ses conseillers, aux souffrances de son père, jusqu'à présent condamné à vivre dans les coulisses, dans la passivité, voire dans l'impuissance son statut de prince héritier. Le choix du métier des armes – et dans l'armée, du secours aux civils – apparaît dans cette optique comme un message fort indiquant que William ne sera, lui, ni passif ni impuissant.

Peut-être a-t-il lu les thèses de l'éminent historien Ben Pimlott, l'un des meilleurs biographes d'Elizabeth II, qui propose de rénover la monarchie. Révolutionnaire, Pimlott suggérait rien moins qu'une mise à la retraite de la reine, et estime que les monarques qui lui succéderont devront être fermement encouragés à abdiquer après soixante-quinze ans. Si ce schéma, encore parfaitement hypothétique mais audacieux, a pour effet de mettre en cause le caractère divin de l'institution monarchique au bénéfice d'une vision plus humaine des personnes royales – vision que ne contredit pas la carrière d'officier du futur roi –, il implique aussi que le prince Charles serait déjà monté sur le trône, et que William lui succéderait en 2023, à l'âge de quarante et un ans. L'avenir garde tout son mystère. Mais tout se passe comme si, doté d'une incontestable intelligence politique, le prince William avait surmonté ses conflits intérieurs et s'était donné pour mission de rétablir en la rénovant l'institution monarchique, considérablement secouée par sa propre mère. Son sens subtil de l'équilibre entre normalité et pouvoir dynastique, son talent non moins grand pour la communication symbolique, indiquent un esprit fermement résolu à prendre en main le destin des Windsor. L'organisation de son mariage en est la manifestation la plus éclatante. Nul doute qu'il sera présent d'une manière ou d'une autre en 2012 pour le jubilé de diamant de la reine, qui fêtera ses soixante ans de règne, puis pour les jeux Olympiques de Londres, quelques mois plus tard. *England is back*, «l'Angleterre est de retour». Et William avec elle.

Quel est le rôle de Kate Middleton dans tout ceci ? Elle a obtenu d'organiser en partie son mariage, une première pour une future princesse, mais, en dehors de cela, le public la connaît peu, et les journalistes n'ont cessé de s'interroger à son sujet. Qui est-elle et que fait-elle ? Qu'a-t-elle fait de sa vie jusque-là, à part aider à la promotion de l'entreprise de ses parents, ce qui est un peu court lorsque l'on est, comme elle, issue d'une des meilleures universités de Grande-Bretagne ? Quelle autonomie lui laisse le rôle de future princesse de Galles ? On a parlé d'une carrière de photographe professionnelle, sans suite ; d'un emploi de curatrice dans les galeries d'art contemporain londoniennes, sans lendemain ; Ralph Lauren l'a sollicitée pour faire d'elle son ambassadrice de mode, mais elle a décliné. Une activité de quelques mois chez Jigsaw, autre marque de mode très connue en Angleterre, a suscité la colère de la presse lorsque l'on a appris que les créateurs de la marque, Belle et John Robinson, étaient en fait des amis des parents de Charles.

C'est un fait : depuis 2007, les principales apparitions de la future princesse de Galles dans la presse ne font guère qu'illustrer une longue et ininterrompue *dolce vita*. On l'a vue avec William au château de Balmoral, l'une des résidences estivales préférées de la famille royale, en Écosse ; elle s'est montrée aux photographes, pratiquant le ski nautique au large des plages de Moustique – un îlot paradisiaque des îles Grenadines, dans les Caraïbes, où elle s'est rendue si souvent que les tabloïds l'ont surnommée « reine Moustique ». Ce surnom avait été donné dans les années 1960 à la sœur cadette de la reine, la princesse Margaret, qui possédait une propriété sur l'île et défraya la chronique, voici quarante ans, par sa vie de bohème, avant de mourir des suites d'une série d'attaques en 2002. Autant dire que le surnom n'est pas exactement un compliment. D'autant moins que la Grande-Bretagne est officiellement en récession aujourd'hui, et que les comportements jet-set, acceptables par l'opinion il y a quarante ans, le sont beaucoup moins aujourd'hui. La reine elle-même, en dépit de son âge, est l'une des personnalités les plus industrieuses du clan royal. Fascinée par les classes moyennes, Elizabeth II a plutôt vu d'un bon œil l'arrivée de Catherine Middleton dans la vie de son petit-fils. Depuis quelque temps, cependant, si l'on en croit l'un des journalistes du *Mail on Sunday*, «l'opinion de Sa Majesté est que, si Kate doit un jour être l'épouse de William, il lui faut un métier approprié».

Publiée en juin 2008, cette déclaration a été vécue par Kate comme un véritable camouflet. Ignorant les conseils de Clarence House, elle a répondu dans le magazine anglais *Hello!*, puis, en septembre, a rejoint Starlight, une association caritative spécialisée dans l'aide aux enfants atteints de maladies incurables et mortelles. Malheureusement, c'est ce même mois que William a rendu publique sa décision de rejoindre la RAF, prenant tout le monde de court. Kate a dû suivre son fiancé à Anglesey.

Depuis, isolée dans la campagne du pays de Galles, la future princesse mène la vie quotidienne d'une épouse d'officier de l'armée anglaise. Fin janvier 2011, dans la perspective de son mariage, elle a délaissé la société de ses parents qu'elle continuait d'aider via Internet. L'avenir, pour Kate, est ouvert. À moins qu'il ne soit, au contraire, complètement bouché. Diana Spencer, découvrant la rigueur du corset des Windsor, avait réagi par l'éclat média-tique et la rébellion. Mais, lorsque l'on n'est pas dotée d'un tel tempérament de star, et lorsque l'on intègre une famille échaudée par une expérience de ce genre, quelle place vous reste-t-il ?

« Il n'y a pas de pression, a fait savoir le prince lors de l'entretien du couple sur ITV News. Il s'agit de se tailler notre avenir personnel. Personne n'essaie de se mesurer à ma mère, qui a accompli des choses fantastiques. » Est-ce à cela que pense Kate à l'ins-tant d'entrer dans la nef de l'abbaye de Westminster pour rejoindre son mari, ou bien aux années qui l'ont conduite là ? Au passé victorieux ou à l'avenir qui reste à bâtir ?

2

Leur histoire avant leur histoire

La légende de Miss Middleton – il en faut bien une – commence l'année de son entrée à l'école privée St Andrew, à Pangbourne, dans le Berkshire. L'un de ses camarades, cité par le quotidien *The Observer* du 18 mars 2007, se souvient d'elle comme de l'une des plus jolies filles de sa classe. «Elle faisait une telle impression que sa réputation avait fini par se répandre dans tous les établissements privés de la région.»

Rien pourtant avant cela n'indique chez elle une aura ou un magnétisme dignes de cet éloge. Née le 9 janvier 1982 à Reading, dans le Berkshire, Catherine semble même avoir passé une petite enfance dénuée de tout événement notable. «Un super lapin blanc en marshmallow» confectionné par sa mère pour ses sept ans, les déguisements de clown avec lesquels elle adorait s'habiller, le jeu des statues musicales qui était sa distraction favorite: les traits les plus saillants qui émergent de ses rares souvenirs d'enfance tels qu'elle les a livrés à la presse. Ajoutons à cela un frère et une sœur cadets, James et Pippa – un diminutif pour Philippa –, avec lesquels elle a grandi à West View, la maison que toute la famille habite alors à Southend, un village des environs de Reading, et d'où ils gèrent depuis 1987 Party Pieces, société créée, selon Carole Middleton, après avoir observé ses enfants jouer dans la cabane de fortune installée dans le jardin. Ceux-ci ayant rapidement été mis à contribution dans l'entreprise familiale, ce sens quasi clanique de la famille est devenu l'une des caractéristiques des Middleton.

Autant dire que Kate n'est pas précisément une enfant révoltée. Sa rupture la plus notable s'est produite à l'âge de onze ans, durant sa scolarité dans la pension catholique de Downe House, à huit kilomètres de la maison familiale. L'établissement avait été choisi par ses parents de préférence à l'école publique de Bradfield, pourtant toute proche. Et sans doute n'est-ce pas une coïncidence si ce fut lors de sa première séparation d'avec sa famille que Kate connut ses premières difficultés.

Downe House a été fondée en 1907 par Olive Willis, une femme qui se targuait d'être en avance sur son temps, et dont le principal titre de gloire reste d'avoir suivi les cours de Somerville, l'un des premiers collèges de l'université d'Oxford ouverts aux femmes. « Donner aux jeunes filles une excellente éducation holistique, promouvoir le développement de leur individualité en fournissant à chacune

les moyens de parvenir aux meilleurs résultats académiques en fonction de ses propres aptitudes» :
telle est, à en croire son site Internet, la mission de
Downe House aujourd'hui encore. Les étudiantes
sont supposées y bénéficier de «toutes les opportu-
nités possibles de développer, sur un plan personnel,
la conscience sociale, spirituelle et émotionnelle qui
accompagne l'excellence académique et prépare à
la vie adulte et professionnelle». Le règlement intérieur impose dans l'enceinte de l'école «une cour-
toisie de chaque instant». «Les jeunes filles doivent
par exemple garder à l'esprit que l'on tient toujours
la porte ouverte à ses camarades.» Les visites sont
autorisées le week-end, mais les étrangers à l'établissement n'ont pas le droit de déambuler seuls dans
les lieux, moins encore de s'approcher des dortoirs.
Si une pensionnaire obtient de sa directrice l'autorisation de recevoir un invité masculin, elle doit se
conduire de manière irréprochable et conforme aux
bonnes mœurs, sous peine de commettre «un délit
sérieux». Tabac, alcool, chewing-gums sont interdits, tout comme le maquillage, le vernis à ongles,
les cheveux détachés s'ils tombent plus bas que les
épaules, les teintures capillaires «peu convenables»
et les bijoux, à l'exception des pendentifs en forme
de croix ou de très discrètes boucles d'oreilles. Aux
Cloîtres, nom d'origine du bâtiment où l'école est
installée depuis maintenant plus de quatre-vingts
ans, Kate commence l'apprentissage forcé de
l'humilité. Et du silence.

Il n'y a parfois pas pire enfer sur terre qu'une cour d'école. Kate ne fait pas vraiment forte impression sur ses camarades, qui ont alors peu d'indulgence pour cette demoiselle plutôt réservée et timide. Cible de railleries, de remarques désobligeantes, et apparemment très seule, la jeune fille obtient de ses parents l'autorisation de quitter les lieux peu après son quatorzième anniversaire, en janvier 1996.

Elle entre alors au très distingué Marlborough College, dans le Wiltshire. C'est là encore un établissement plutôt chic : compter un peu plus de vingt-six mille livres par an, soit plus de trente-six mille euros pour un pensionnaire, et près de vingt mille pour un externe. Il a été fondé en août 1843 afin d'éduquer les fils des représentants du clergé anglican, et les filles n'y sont admises que depuis 1989.

« Le savoir y est valorisé, la créativité glorifiée, la diversité mise en avant et l'art de la conversation – grâce auquel la connaissance devient sagesse – primordial », explique la brochure de présentation des lieux. C'est pourtant là, dans un cadre majestueux et soigneusement préservé, étroitement associé à l'histoire de la monarchie britannique (le site et son ancien château, dont il ne reste aujourd'hui plus trace, ont été offerts par le roi Henry VIII à son beau-frère, le premier duc de Somerset), que Kate va peu à peu apprendre à déployer sa personnalité.

Non que cela semble avoir été tout de suite évident. « Elle est arrivée en cours d'année », raconte l'une de ses meilleures amies de l'époque, Gemma Williamson, citée par Rebecca English dans *The Daily Mail* du 27 août 2005. «Elle avait été très mal traitée dans son école précédente, elle était toute mince, très pâle. Elle n'avait aucune confiance en elle.» Un soir, au réfectoire, les garçons de l'établissement décident d'attribuer aux filles des notes allant de 1 à 10. Sur l'échelle ouverte de la séduction et du sex-appeal, la demoiselle Middleton n'obtient que des 1 et des 2. Ce n'est guère prometteur. Pourtant, lassée par ces vexations en tous genres, encouragée aussi, dit-on, par l'exemple de sa sœur cadette Pippa, une gamine ravissante et pleine de vie, Kate entreprend de mettre en œuvre la première étape de sa spectaculaire métamorphose. «Ça s'est fait de façon très soudaine, poursuit Gemma. Lorsqu'elle est revenue des vacances d'été, Catherine était devenue une vraie beauté.»

Sur le plan académique, l'un des enseignants du collège, interrogé par Oliver Marre pour *The Observer*, laisse entendre que l'adolescente ne comptait pas parmi les têtes de classe. «Celui ou celle qui serait tenté d'affirmer le contraire serait tout simplement influencé par ce qu'il sait d'elle aujourd'hui», explique-t-il. La petite fleur du Berkshire paraît en effet s'épanouir davantage sur les terrains de sport. Marlborough compte pas moins de onze terrains de rugby, six de hockey et huit de cricket, trois de lacrosse, sept de football, deux de volley-ball, douze courts de tennis, des terrains couverts de basket-ball et de badminton, des salles de fitness et d'escrime. On dit Kate particulièrement douée en hockey, sa discipline de prédilection, ainsi qu'en net-ball, un jeu de ballon inspiré du basket-ball. Effet du sport ou non, elle gagne en tout cas rapidement en féminité et en grâce, et laisse enfin apparaître sur son visage cet éclatant sourire appelé à devenir rapidement reconnaissable entre tous. Rien d'étonnant, donc, à ce qu'en cette année 1997 la population masculine de l'établissement se décide à réviser son jugement.

« Tous les garçons s'étaient entichés d'elle », affirme Gemma Williamson. Dans son apparence vestimentaire, rien de voyant, pourtant, rien de sexy, rien de particulièrement à la mode non plus. L'adolescente privilégie un style chic mais sans ostentation, s'affiche en jeans et en pulls tout simples. Dans l'enceinte du collège, les paquets de cigarettes se négocient sous le manteau, l'alcool circule en cachette dans les dortoirs et les flirts finissent invariablement un jour ou l'autre par perdre de leur innocence. Pourtant, à en croire ses camarades de l'époque, Kate est de celles qui ne fument pas, ne se laissent pas entraîner dans la tournée des pubs de la ville voisine, et se contente de quelques bécots accordés à de jeunes prétendants qui jamais ne deviendront vraiment ses petits amis. On lui prête la volonté qu'avait Diana au même âge de préserver sa virginité en prévision d'une grande et belle rencontre, celle qui déciderait de sa vie entière. La légende, encore elle, prétend d'ailleurs que, le soir après les cours, Kate et ses camarades ont l'habitude de se réunir pour passer en revue les garçons les plus séduisants et les plus populaires de l'école, échanger leurs points de vue sur le mariage, la vie, l'amour. «Elle plaisantait en disant qu'aucun d'eux n'arrivait à la cheville du prince William, raconte son amie d'alors, Jessica Hay. Elle avait accroché au mur de sa chambre un poster de lui qui, à l'origine, le montrait en train de pêcher aux côtés du prince Charles, mais elle avait coupé ce dernier sur la photo. Elle disait toujours : "Je suis sûre que c'est quelqu'un de gentil, quelqu'un de bien. Il n'y a qu'à le regarder pour s'en rendre compte." Et nous, nous lui répondions que peut-être, un jour, elle le rencontrerait et qu'ils se mettraient ensemble. »

L'anecdote a été démentie par Kate lors de l'interview du couple en octobre 2010 sur ITV News : «Non, j'avais un poster de la pub avec le type en Levi's sur mon mur, pas une photo de William, désolée. » Ce à quoi le prince a aussitôt rétorqué, non sans humour : «C'était moi en Levi's, bien entendu. »

Les rêves de princesse de la demoiselle Middleton sont-ils toutefois si forts, si obsédants qu'ils la poussent à s'inscrire en maîtrise d'histoire de l'art à l'université écossaise de St Andrews, où l'arrivée du petit-fils d'Elizabeth II a été annoncée dès le mois d'août 2000 ? Possible. On dit souvent que les êtres promis à un avenir hors du commun nourrissent souvent très tôt une conscience précoce, brûlante, impérieuse, de leur destinée. Son *A-level* (l'équivalent du baccalauréat) en poche, l'adolescente choisit en tout cas, comme William, de prendre une année sabbatique avant d'intégrer la prestigieuse faculté. La romantique, douce et sage Kate Middleton a décidément le profil des héroïnes d'E. M. Forster. Telle Lucy Honeychurch dans *Chambre avec vue*, elle jette son dévolu sur la ville italienne de Florence, la splendeur de son architecture Renaissance, ses musées, ses pierres blondies par le soleil et ses galeries d'art. Elle y passera trois mois, dans un appartement loué à proximité du centre historique de la ville avec quatre autres camarades. Tourisme, apprentissage de la langue et de la civilisation transalpines, cours sur les grands maîtres de la peinture italienne à l'Institut britannique installé au Palazzo Strozzino... Un avant-goût d'indépendance, doublé d'une expérience qui la prépare à ce qui l'attend à St Andrews.

***

En optant pour la plus ancienne des universités écossaises, William a créé la surprise. Les experts l'attendaient plutôt à Oxford ou à Cambridge, comme ce fut le cas pour son père, à la fin des années 1960, ou pour son arrière-grand-père le futur roi George VI, en 1919. Au terme de longs mois d'hésitation – il était également attiré par la faculté d'Édimbourg –, William arrêta son choix sur l'université de St Andrews, pas encore entrée dans le classement des dix meilleures universités du royaume établi par le *Sunday Times*, comme c'est le cas aujourd'hui.

Il y effectua une visite discrète à la fin du printemps 2000. Aux yeux des observateurs, sa décision démontre, comme plus tard son choix de la base d'Anglesey, un sens politique étonnamment précoce. L'heure est en effet cruciale dans l'histoire mouvementée des relations entre la couronne d'Angleterre et l'Écosse. Trois ans plus tôt, le 11 septembre 1997, le mouvement autonomiste écossais a obtenu une victoire décisive. Un référendum a approuvé à plus de 60 % la création d'un parlement électif à Édimbourg. Ce dernier a vu le jour en 1999, avec l'aval du gouvernement de Tony Blair, lequel espère ainsi calmer pour un temps les velléités d'indépendance. Pour la première fois depuis 1707, une grande partie des affaires intérieures de l'Écosse, en particulier l'éducation et la santé, sont gérées de manière autonome. Il ne fait guère de doute que l'arrivée du jeune prince William à St Andrews dans ce contexte va permettre à sa grand-mère, la reine Elizabeth, de renforcer l'image et le prestige de la monarchie en général et des Windsor en particulier au sein de l'opinion écossaise.

Mais, comme toujours lorsqu'on se penche sur le parcours du jeune prince, les motivations semblent doubles. Si, côté paternel, le calcul politique n'est pas exclu, l'ombre maternelle semble peser tout aussi lourd dans le choix inhabituel de St Andrews. Frances Shand Kydd, la mère de Diana, possède une résidence secondaire dans le village de Falkland, à une trentaine de kilomètres de l'université. Quoi de plus normal pour son petit-fils que de s'y retirer dès que le besoin de tranquillité se fera sentir ?

En 1998, le fils aîné de Charles et Diana a fait graver ses propres armoiries. Conçues sur les bases de celles réservées à la reine Elizabeth et au prince de Galles – un lion et une licorne supportant un écu central –, elles se distinguent par l'ajout en quatre points distincts d'une coquille Saint-Jacques rouge, motif dont le blason de la famille Spencer s'orne depuis le XVIe siècle.

Qui est, en fin de compte, le garçon de dix-neuf ans que s'apprête à rencontrer Kate Middleton ? Est-il l'héritier de la couronne royale, la figure montante des Windsor, celui à qui depuis un an déjà certains tabloïds prêtent (à tort) une idylle à distance avec Britney Spears, tandis que d'autres le voient déjà convoler avec une ravissante héritière de dix-neuf ans répondant au nom improbable d'Isabella Anstruther-Gough-Calthorpe ? Un jeune prince conscient qu'un échec conjugal de sa part serait un désastre de trop pour une institution monarchique fragilisée par les frasques du clan au cours des trente dernières années ? Est-il, comme sa mère, engoncé dans une royauté ressentie comme sclérosante, et désespérément en quête de normalité et d'anonymat ? «Je veux juste aller à l'université et m'amuser», déclare-t-il lors d'un entretien accordé à la Press Association à la veille de son arrivée sur le campus. « Aller là-bas et y être un étudiant comme les autres. St Andrews est une petite communauté à laquelle je me sens libre de m'intégrer comme je le souhaite. » Une chose est sûre à cet instant: celui que s'arrachent les filles de la meilleure société, au point que le Marden's Club, un groupe d'aristocrates anglaises, est, dit-on, déjà en quête de la meilleure candidate, celui que les revues pour adolescents viennent de consacrer «petit ami idéal», et qu'un magazine gay a même classé à la neuvième place des hommes les plus sexy de la planète, devant Brad Pitt et George Clooney, est une énigme pour tout le monde. Y compris, peut-être, pour lui-même.

Ce dilemme entre normalité et exception pèse sur le prince William pratiquement depuis le jour de sa naissance, ce lundi 21 juin qui coïncidait avec le solstice d'été.

***

La brève guerre des Malouines vient de s'achever sur une victoire. L'Angleterre est de retour. Le couple princier a franchi les portes de l'hôpital St Mary tôt le matin. L'accouchement lui-même n'a pas duré moins de seize heures et il a été particulièrement douloureux, à en croire le témoignage de Lady Di elle-même. Charles est resté constamment à ses côtés, l'aidant à boire, lui tenant la main, et il est toujours là quand, à 21 h 03 précisément, le futur héritier de la couronne du Royaume-Uni d'Angleterre et d'Irlande du Nord pousse son premier vagissement. « Nous sommes très fiers », déclare le papa devant la presse. À un reporter qui lui demande : « Est-ce qu'il vous ressemble ? », il répond, non sans un humour typiquement anglais : « Heureusement pour lui, non. Il a de la chance. »

Charles, fils d'Elizabeth II, est né le 14 novembre 1948, dans la Suite belge du palais de Buckingham, comme des générations d'héritiers royaux avant lui. Sa mère se prépare à succéder au roi George VI dont la santé décline. Déjà, elle remplit à sa place la plupart de ses engagements, de sorte que les rares moments d'intimité dont son fils bénéficie avec elle et son père, le prince Philip, se limitent à une demi-heure le matin et une brève heure en fin de journée avant de se mettre au lit.

Il faut dire deux mots de l'histoire de Philip, qui plonge ses racines dans la décomposition de l'Europe. Né prince de Grèce et de Danemark à Corfou en 1921, il fut, avec son père, contraint à l'exil après l'abdication du roi Constantin Ier en 1922, dans la foulée de la Première Guerre mondiale et la désintégration de l'Empire ottoman. Jusqu'à son intégration dans la famille Windsor, il n'a connu de la royauté que des années d'errance et de pauvreté dans les milieux cosmopolites d'un continent en proie aux convulsions de l'histoire. À Saint-Cloud, il a grandi dans une propriété prêtée à ses parents par sa tante, la princesse et disciple de Freud Marie Bonaparte, puis il a rejoint l'Angleterre où il s'est enrôlé en 1939 dans la marine royale anglaise. Même son entrée dans la famille royale en 1947, lors de son mariage avec Elizabeth – dont il était un lointain cousin –, ne l'a pas vraiment aidé à trouver un port d'attache. Forcé d'abandonner ses titres nobiliaires d'origine, il a aussi dû changer de nationalité, de religion, et accepter que ses enfants portent le patronyme de son épouse plutôt que le sien. Pour ne rien arranger, cette Angleterre qui a subi le Blitzkrieg sait qu'il a laissé sur le continent trois sœurs, toutes ayant épousé des princes allemands liés aux nazis. En réaction, il a dès le départ été considéré avec méfiance par la vieille garde du palais de Buckingham, et en particulier par sa propre belle-mère, l'épouse du roi George VI. De tout ceci il reste une faille, un sentiment d'humiliation.

Le prince Charles a quatre ans. Timide, introverti, il grandit entouré de nurses, voyant peu sa famille, et obligé de s'incliner respectueusement devant sa grand-mère sitôt qu'elle entre dans une pièce. Sitôt couronnée, l'une des premières mesures d'Elizabeth II est de dispenser ses enfants de faire la révérence en sa présence. À l'époque, cette réforme domestique est interprétée par la presse, avec raison, comme l'un des tout premiers signes avant-coureurs d'une ère de modernité. Dans les années qui suivent, le développement des médias aidant, une majorité des sujets de Sa Très Gracieuse

Majesté aspirent bientôt à considérer les Windsor comme une famille ordinaire, et à entretenir avec la souveraine et ses proches une sorte de proximité illusoire très éloignée des usages. Or, comme beaucoup d'enfants intelligents, privés des marques habituelles d'affection, le petit Charles, d'une sensibilité à fleur de peau, a conscience de ce changement d'atmosphère et, surtout, de la contradiction entre cette demande de normalité et le statut d'exception qui est le sien à la cour. En réaction, loin de s'épanouir dans le cocon tissé autour de lui par une armée de dignitaires, de courtisans et de domestiques, il développe peu à peu une tendance inquiétante à l'autodépréciation. Celle-ci est perçue hâtivement par son père comme un manque de caractère et de vigueur psychologique.

L'école, puis le collège, entretiendront la conscience chez Charles d'une normalité impossible, et les réactions négatives de son père. À cette époque, l'hystérie médiatique est chose rare. Nul parmi ceux qui en sont victimes ne sait comment y réagir et, dans le public, ses cibles provoquent l'hostilité bien plus que l'admiration. Exemple entre mille : à la rentrée 1957, le jeune Charles accompagné de ses parents franchit les grilles du collège de Cheam, « la Chambre des lords » comme on appelle alors cet établissement scolaire élitiste du Berkshire. Une foule compacte de journalistes, de parents d'élèves et de curieux se masse ce jour-là à l'entrée de l'établissement. Ce premier jour est annonciateur des cinq années de pensionnat à venir. Charles y sera tenu à l'écart par ses camarades, qui lui feront subir une forme particulièrement rude de harcèlement moral et physique et de quolibets incessants. « Ce n'était pas facile de se faire beaucoup d'amis, confiera-t-il bien plus tard. Je ne suis pas une personne naturellement sociable et j'ai toujours eu horreur des bandes. J'ai toujours eu tendance à préférer ma propre compagnie ou les tête-à-tête[1]. »

Ainsi peut-on dire que dès cette époque se structure chez lui le conflit entre normalité et exception, dont Diana – et aujourd'hui son fils – vont devenir les incarnations. Un conflit extrêmement contemporain, en un sens, puisque, à l'affrontement entre tradition et modernité, viennent s'ajouter l'exil, le malaise identitaire, et des relations fils-père problématiques.

Hypersensible, mal à l'aise en public et en privé, incapable d'exprimer pleinement les sentiments qui pourtant l'étouffent, le prince Charles a cru trouver en Diana, et surtout dans la paternité, l'épanouissement qui lui manquait. « Il a toujours adoré les enfants, confiera d'ailleurs par la suite l'un de ses amis. Il était très heureux à cette époque (lors de la naissance de William). Il avait lu tous les livres de puériculture sur lesquels il avait pu mettre

---

1. Cité par Jonathan Dimbleby dans la seule biographie autorisée à ce jour du prince de Galles, *The Prince of Wales. A Biography* (1994).

la main et était devenu un véritable expert en la matière[1]. »

Diana elle-même traînait son lot de traumatismes hérités de l'enfance. Elle avait vécu avec douleur la séparation de ses parents lorsqu'elle avait six ans, se retrouvant témoin des disputes incessantes consécutives au divorce. Elle avait gardé un souvenir particulièrement vif, semble-t-il, des nuits passées à écouter son frère pleurer dans le noir tandis que leur père allait et venait dans la maison, dévoré par la jalousie et incapable de dormir. Rien ne lui tenait plus à cœur que d'élever ses enfants en compagnie d'un mari aimant, de les embrasser «jusqu'à les étouffer d'amour et d'affection», comme elle le déclara plus tard. On pouvait penser, comme sans doute eux-mêmes, que ces deux-là étaient faits pour s'entendre. Mais, comme souvent dans les couples, ce qui semble chez l'un comme chez l'autre la solution du problème devient peu à peu la source de tous les malentendus.

Diana, ainsi que les Windsor le découvrent rapidement, veut faire les choses à sa manière. C'est elle qui a voulu accoucher à St Mary plutôt qu'au palais, et elle entend bien donner à son fils, comme plus tard à son cadet Harry, toutes les démonstrations d'affection que des enfants sont en droit d'attendre de leur mère. Elle et eux seront *ordinaires*. «Tout ce que je veux, répète-t-elle à l'envi, c'est que mes

---

1. Cité par Lady Colin Campbell, *Lady Diana l'intrigante*, Éditions n° 1, 1993.

enfants soient heureux et normaux. Je ferai ce que je peux pour qu'ils aient droit à ces sentiments très ordinaires. »

Mais le peuvent-ils ? Dès le matin suivant l'accouchement de son fils aîné, lorsque Diana ouvre les yeux sur son lit d'hôpital, c'est pour apercevoir, derrière les vitres, les multiples Union Jacks et banderoles de félicitations encadrant la presse massée parfois jusqu'à hauteur de fenêtres, car certains photographes se sont munis d'échelles. Quant au nouveau-né, un bébé d'un peu plus de trois kilos au regard bleu prometteur, il bénéficie déjà à temps plein d'un garde du corps détaché de l'équipe de protection royale de Scotland Yard, placé devant la porte en garde permanente. Quelle normalité attendre d'une telle naissance ?

Ce n'est pas pour rien que l'attention se concentre ainsi sur Diana et sur son fils. Nous ne sommes plus dans les années 1950, où l'interrogation sur la monarchie s'accommodait de quelques réformes, mais à l'orée des années 1980, alors que le pays s'accoutume à un capitalisme venu d'outre-Atlantique et introduit d'une main de fer par Margaret Thatcher. Quel rôle pour la royauté dans ces conditions ? L'heure est à la mondialisation, à la finance globale ! La monarchie, l'institution la plus sacrée et la plus caractéristique du Royaume-Uni, fait plus que jamais figure de folklore suranné. Or, parce que son énergie contraste tant avec la raideur de son mari et qu'elle ne respecte pas les usages, Lady Di représente dans le clan Windsor une véritable source de jouvence. Elle est, ou devrait être, *la* solution. De cela, sa belle-famille est consciente, à commencer par la reine et le prince Philip. Mais par conservatisme, peut-être inquiets de voir la monarchie dénaturée, ils hésitent à saisir cette chance. Sans doute attendent-ils de Diana un signe susceptible de les convaincre que la monarchie n'en perdra pas son âme. Un signe que Diana, par orgueil, par désarroi, ou par dépit amoureux, refuse de donner.

Structurellement dépressive, la jeune femme, qui ne supporte pas l'étiquette, va rapidement prendre la presse à témoin de sa rébellion et s'aliéner peu à peu, du même coup, le clan Windsor. À mesure que les attentes sont déçues et que les liens se tendent entre la famille royale et Diana, cette dernière se réfugie dans ce qu'elle croit être sa seule arme et sa seule légitimité : sa popularité dans la presse. Une presse qu'elle affirme pourtant détester, puisqu'elle fait de chacun de ses actes « normaux » des événements exceptionnels, et qu'elle hait ce qui est exceptionnel. Cette ambivalence majeure va peser très lourd sur la suite des événements. Si lourd que, pour une bonne part, on peut voir toute l'attitude de William comme une réponse, une tentative pour résoudre cette contradiction majeure entre la demande populiste de la presse et les exigences de la royauté.

Les premiers signes du conflit entre Diana, les Windsor et la presse se sont fait sentir, à vrai dire, dès le lendemain du mariage, lorsque le prince de Galles, en guise de lune de miel, a traîné sa jeune épouse à Balmoral, la résidence royale écossaise où Diana a dû partager son quotidien avec la reine, le duc d'Édimbourg, les princesses Anne et Margaret et leurs enfants, et se plier sans transition aux usages de la cour.

L'étiquette à Balmoral impose parfois de se changer quatre fois par jour : pour le petit déjeuner, le déjeuner, le thé et le dîner. Diana affirmera plus tard que, parmi bien d'autres choses, elle a d'autant plus mal supporté ce rituel que nul ne l'en avait prévenue. Pourtant, les Spencer n'étaient pas tout à fait ignorants des usages royaux. Non seulement, du côté de son père, une ascendance illégitime reliait la princesse à Charles II d'Angleterre (1630-1685), mais, surtout, sa grand-mère maternelle, Ruth Lady Fermoy, avait été première dame d'honneur de la Reine Mère. Pour que Diana n'ait rien su de la façon dont les choses se passaient dans l'entourage royal, il faut supposer qu'elle n'avait ni demandé ni reçu le moindre conseil de sa grand-mère et s'était construit une image de la royauté purement imaginaire. Ou bien alors, que l'étiquette n'était pas vraiment la source du conflit entre Diana et les Windsor.

Quoi qu'il en soit, c'est dès cette époque, à Balmoral, que Diana, à la grande perplexité de Charles, manifeste des signes très sérieux de boulimie, de dépression chronique, et commence à s'enfermer des heures dans sa chambre. Une fois enceinte de William, son état semble osciller entre enthousiasme – elle passe des heures à préparer la nurserie du palais de Kensington – et déprime.

Sitôt après la naissance de William, changement d'humeur : elle insiste, là encore contre les usages, pour le nourrir au sein. Elle impose également le choix de la nourrice, en la personne de Barbara Barnes, et obtient de la reine la permission d'emmener le bébé lorsque le couple princier se rend en visite d'État en Australie, au printemps 1983. Jamais jusqu'à présent un membre actif de la famille royale en représentation officielle ne s'est déplacé avec un nouveau-né dans ses bagages. L'image de Barbara Barnes descendant de l'avion portant William dans ses bras fait du bébé prince la cible des photographes et la star incontestée du voyage.

Ce premier périple de Diana comme princesse de Galles – son baptême du feu au sein de la royauté, en quelque sorte – semble pour un temps la transformer. Contre toute attente, elle recherche les conseils et encouragements de son mari, l'admire ouvertement pour son sens de la diplomatie et, surtout, exprime ses regrets pour la conduite dont elle a fait preuve au cours des derniers mois. Au point que Charles confie alors à un photographe de la Press Association rencontré à Melbourne qu'il la trouve «très belle», se sent «très fier d'elle» et que, à Auckland, quelques jours plus tard, un second photographe le surprend à caresser affectueusement le postérieur de Lady Di... Ce voyage est même un tel succès que, à Londres, plusieurs hommes politiques de premier plan applaudissent le jeune couple. Dans un monde en constant changement, Charles, Diana et leur jeune fils « nous assureront cette continuité garante de notre stabilité[1] », comme l'affirme l'un d'entre eux.

Intuition médiatique de Diana ? C'est en tout cas bel et bien la présence de William qui a donné à ce déplacement officiel une publicité inespérée. De retour du voyage, l'enfant a été installé en compagnie de sa nurse et des policiers chargés de sa sécurité dans une ferme de la petite localité de Woomargama, en Nouvelle-Galles du Sud. Sitôt que leur emploi du temps le leur permet, ses deux parents viennent le rejoindre. Diana devient une mère exemplaire aux yeux des Britanniques. Charles, pendant ce temps, s'émerveille des progrès de son fils et rend compte, tout au long de son voyage, dans la correspondance qu'il entretient avec les van Cutsem, un couple d'amis très proches, de la rapidité avec laquelle « Wills » se déplace désormais.

Fin 1983 : Diana apprend avec bonheur sa nouvelle grossesse. Le prince Harry Charles Albert David naît le 15 septembre de l'année suivante à 16 h 20, dans le même hôpital que son frère. Résolue à éviter toute manifestation de jalousie de la part de ce dernier, la princesse de Galles accueille son fils aîné sur le seuil de sa chambre et, seule, l'emmène faire connaissance avec le bébé.

---

1. Cité par Jonathan Dimbleby, *op. cit.*

Charles, de son côté, diminue encore autant que possible le nombre de ses engagements officiels pour pouvoir se consacrer à ses fils. Ce faisant, il s'attire sans surprise les sarcasmes de son père, le prince Philip («le prince de Galles n'a-t-il pas mieux à faire que de baigner son fils?»), mais aussi, plus curieusement, l'ironie de Diana. «Puisque mon mari sait tant de choses sur la manière dont on élève les enfants, l'entend-on déclarer, je propose qu'il donne naissance au suivant.» Voit-elle d'un mauvais œil la présence de Charles dans un domaine qu'elle considère comme le sien? Plus d'une voix s'élève, en tout cas, pour barrer la route à l'expression des sentiments chez l'ancien pensionnaire ostracisé du collège de Cheam.

Mais c'est aussi qu'entre-temps ce dernier a renoué avec son amour de jeunesse, Camilla Parker Bowles. Il est épris d'elle depuis le début des années 1970. Elle l'avait autrefois quitté pour un lieutenant de cavalerie, Andrew Parker Bowles, mais il ne l'a jamais oubliée. Si l'on ne sait pas au juste quand il a renoué avec elle, il est probable que l'affaire est déjà faite alors même que son épouse donne naissance à leur deuxième fils. Est-ce cela qui provoque l'ironie de Diana? La liaison devient vite notoire. La princesse de Galles en conçoit non seulement un sentiment d'humiliation public mais aussi une blessure intime. Elle qui a vu ses parents se déchirer, elle qui n'a jamais trouvé la stabilité affective qu'elle recherchait, se voit désormais plus que jamais isolée au sein d'une cour aristocratique froide, à laquelle elle n'a jamais vraiment appartenu. Et l'homme par qui elle y est entrée, qu'elle a, pour autant que l'on sache, sincèrement aimé, la trompe. Qu'il ait été lui-même malheureux, hésitant et incertain, elle n'en a cure ou ne s'en rend pas compte.

Dès 1984, en vérité, le couple fait chambre à part. Et les enfants sont déjà entre eux le seul lien véritable qui reste.

C'est à la rentrée suivante, en 1985, qu'est prise une photo qui fera le tour du monde : celle du prince William, trois ans, son ballon à l'effigie de Postman Pat dans une main (le héros de la série télévisée d'animation la plus populaire de l'époque), l'autre accrochée à la princesse de Galles qui l'emmène, pour la première fois, à l'école.

Depuis un moment déjà, Charles et Diana ont pris la mesure de la personnalité débordante et de plus en plus agitée de William. Un «cogneur, dit Diana, comme le prince Philip et son autre grand-père». Il terrorise les domestiques et refuse d'obéir à sa gouvernante. Charles, comme Diana, estime qu'il lui faut se confronter à d'autres garçons de son âge. Renseignements pris, la princesse de Galles a porté son choix sur le jardin d'enfants de Mrs Minor, à Notting Hill Gate, tout près du palais de Kensington. Charles, qui garde de ses rentrées scolaires des souvenirs de garçonnet inquiet et littéralement assiégé par les journalistes, insiste pour qu'un communiqué commun soit envoyé à la presse demandant de préserver la tranquillité de leur fils. De même Mrs Minor a-t-elle prévenu les voisins. Diana fait ainsi connaissance avec les parents des onze autres élèves de la classe, à qui elle demande de ne pas se prêter aux questions des médias. C'est précisément l'aspect le plus ordinaire de la vie du jeune prince que la photo de cette journée mémorable est censée illustrer.

Il va sans dire que cette normalité de surface trouve rapidement ses limites : un système d'alarme a été installé dans l'école, les fenêtres sont équipées de vitres à l'épreuve des balles, et il est entendu que, dans les premiers temps, l'héritier direct du trône d'Angleterre ne fréquentera pas son école primaire plus de deux jours par semaine, et sera encadré de gardes du corps.

Comment réagit le jeune William à cette double injonction ? La version officielle veut que le jeune prince se soit révélé très populaire chez les autres enfants en raison de sa gentillesse, de son sens de l'humour, et de la prévenance dont il faisait preuve à l'égard de ses camarades. Pas sûr. C'est cette année-là, au contraire, que, du fait de son agitation, William gagne le surnom de « Will le Terrible ». Inévitablement conscient de la distance entre ce discours qui fait de lui un enfant comme les autres et la réalité à laquelle le confronte l'expérience scolaire, il supporte peu la discipline, en vient facilement aux mains avec ses camarades, auxquels il n'hésite jamais à rappeler que « papa est un vrai prince ».

« Ce n'est pas une bonne chose que Diana lui fasse croire qu'il peut mener une existence parfaitement ordinaire », confie, après qu'elle a quitté son poste, la nourrice Barbara Barnes à un journaliste. Et cette réflexion résume probablement tout le dilemme dans lequel lui et sa mère se débattent.

Le mensonge d'une normalité « démocratique » n'est pas le seul auquel le jeune prince doit faire face. Précoce – il sait lire dès l'âge de cinq ans –, doué d'un esprit vif, d'une curiosité naturelle, William est aussi doué d'un certain talent pour les arts de la scène. Entre 1987 et 1989 il chante à l'occasion des concerts de Noël organisés par son école et, en juin 1990, se voit confier un rôle dans la pièce *La Saga d'Erik Nobeard, viking malgré tout*, jouée lors du spectacle de fin d'année. Diana l'inscrit aussi, avec l'assentiment de Charles, à un cours d'initiation à la musique. Les jeunes élèves y apprennent à traduire en dessins les émotions que leur inspirent les mélodies. Les œuvres de William sont qualifiées par son professeur de « remarquables ». Comment un garçon aussi vif et sensible pourrait-il ne pas sentir l'atmosphère étouffante qui, en dépit des apparences, règne entre ses parents ?

Le 10 septembre 1990, il entre au pensionnat de Ludgrove. Fondée en 1892, cette école préparatoire à l'examen d'entrée au collège dispense une éducation « traditionnelle » après acquittement de frais de scolarité d'un montant approximatif de douze mille euros annuels. Une fois encore, les photographes massés devant les grilles immortalisent l'entrée de la voiture du couple princier et de son fils aîné : l'illusion est parfaite. En réalité, Diana et William arrivent de Kensington, Charles de Highgrove, sa résidence de campagne favorite. D'un commun accord, ils se sont rejoints quelques instants plus tôt par une porte dérobée du parc de l'école. Leur rencontre, ce jour-là, a duré trente-neuf minutes. Et ils ne se reverront pas avant trente-neuf jours.

Cela fait déjà plusieurs années que la liaison de Charles avec Camilla est chose acquise, et que Diana pleure tous les jours. Plusieurs années, aussi, qu'elle semble affectivement dépendante de son fils aîné, dont elle a fait son confident. Lorsqu'elle va s'enfermer dans sa chambre, c'est William qui, l'entendant sangloter, lui passe sous la porte les mouchoirs en papier dans lesquels elle essuie ses larmes, avant de se précipiter sur son père : «Je te déteste, papa ! Je te déteste ! Pourquoi tu fais pleurer maman comme ça[1] ?»

Il n'est pas le seul à penser de la sorte. Devant la presse, face à l'opinion, lors de leurs déplacements à l'étranger ou de manifestations officielles, Charles et Diana ne cherchent même plus à donner le change et se livrent ouvertement une guerre sans merci. Leur mésentente se traduit par la formation dans leur entourage de deux clans rivaux, dont les

---

1. Cité par Katie Nicholl, *William and Harry* (2010).

membres se recrutent jusque dans le personnel de maison, chacun relayant un tissu de rumeurs et d'informations plus ou moins fiables à destination de la presse. À ce jeu, la gagnante est sans conteste Diana, épouse trompée, mère attentionnée négligée par un mari volage. Mais les choses sont-elles si simples ?

En privé, le prince de Galles s'inquiète de la relation « suffocante » qu'entretient son épouse avec leurs deux fils, et tout spécialement avec l'aîné. Lui-même, à mesure que son mariage se désintègre, passe de moins en moins de temps en leur compagnie. « La tension dans son couple était parfois si forte qu'il était obligé de s'éloigner », confiera plus tard l'un des membres de son clan. Diana, de son côté, comme pour mieux mettre en évidence son absence, dépose chaque fois qu'elle le peut William et Harry à l'école et s'arrange le plus souvent pour achever ses rendez-vous à 15 heures afin d'être là à leur retour. Elle multiplie pour eux les sorties et les divertissements, loisirs dont les médias vont se faire l'écho et qui suscitent bientôt l'admiration des Britanniques. Car toujours ou presque, comme par hasard, des membres de la presse sont alertés de la présence des petits princes avec leur mère dans tel parc d'attraction, tel cinéma, tel théâtre pour enfants, tel fast-food.

Au cours de l'été 1991, William est accidentellement frappé à la tête avec un club de golf par l'un de ses camarades de Ludgrove. Il est hospitalisé d'urgence, une légère fracture du crâne est diagnostiquée, une opération chirurgicale décidée. Diana passe la nuit à son chevet tandis que Charles, une fois pleinement rassuré sur l'état de santé de son fils, retourne à ses obligations officielles de la soirée. Dès le lendemain, la presse s'interroge : quelle sorte de père est donc le prince de Galles pour abandonner les siens dans de telles circonstances ? Selon Patrick Jephson, le secrétaire particulier de Diana, cette dernière, qui sait pertinemment qu'il n'y a rien à reprocher, en l'occurrence, à son mari, se réjouit néanmoins de ce nouvel accroc à son image.

Quelques mois plus tard, les photos de Diana courant les bras grands ouverts en direction de ses deux fils, sur le pont du yacht royal *Britannia*, ancré dans un port canadien, font le tour du monde. Parents et enfants se retrouvent après plusieurs semaines de séparation et la princesse a planté là son époux occupé à ses devoirs protocolaires. Quelques minutes plus tard, quand des effusions tout aussi chaleureuses réunissent Charles et ses fils, c'est à l'intérieur du bateau et la presse n'est plus là pour les voir ! « Le prince fait vraiment tout ce qu'il peut pour ne pas entrer dans le jeu de sa femme, affirme alors l'un de ses conseillers. Il les aime autant que leur mère et tout cela lui brise le cœur. [...] Il y a trop d'égoïsme dans la tendresse qu'elle a pour eux[1]. »

---

1. Cité par Lady Colin Campbell, *op. cit.*

En 1994, encore, Diana planifiera le programme de la toute première visite de William au pays de Galles sans prendre la peine d'en informer son père – pourtant le prince de Galles en titre – et, surtout, après s'être assurée que ce dernier serait retenu ailleurs par d'autres engagements[1].

***

Lady Diana a fait l'objet, au début des années 2000, d'un certain nombre d'articles brossant d'elle le portrait peu flatteur d'une jeune femme instable, profondément immature, hantée par les souvenirs douloureux de son enfance, superficielle et manipulatrice. Le contraste entre ces révélations posthumes et l'idolâtrie dont elle a bénéficié de son vivant laisse perplexe. Pourtant, elle-même n'a pas peu contribué à nourrir cette part noire de sa légende. Ses confidences à Andrew Morton, publiées en novembre 1992 sous le titre *Diana: Her True Story*, alors que le couple vivait déjà pratiquement séparé, ont secoué la maison Windsor jusque dans ses fondations. En quelque cent soixante-quatorze pages, elle a réduit en pièces ce qui restait de son mariage, en a rendu pour la première fois responsable Camilla Parker Bowles, a laissé ses amis révéler au public son anorexie, sa boulimie et sa dépression, et dépeint

---

1. Jonathan Dimbleby, *op. cit.*

l'institution monarchique comme surannée. Le livre, publié en épisodes exclusifs dans le *Sunday Times*, a fait l'effet d'une bombe dans l'opinion comme au palais de Buckingham, où ces confidences ne lui furent jamais pardonnées.

Diana Spencer souffre depuis son mariage d'un isolement affectif et politique que l'amour de Charles pour Camilla ne fait que renforcer. Même si elle continue de l'aimer, elle a fini par ne plus voir en son mari que le pur produit d'une éducation dont elle rejette en bloc tous les principes. Ses fils, l'aîné surtout, ne constituent pas seulement dans son esprit ses seuls alliés, ni les uniques objets sur lesquels reporter son amour. Ils sont aussi la démonstration vivante qu'une autre éducation est possible pour les héritiers des Windsor. Il s'agit, en un sens, de sauver la monarchie d'elle-même. Et il ne fait pas le moindre doute dans l'esprit de Diana qu'elle est la mieux placée pour cela: «Si j'étais en mesure de décider moi-même du cours et du but de mon existence, déclare-t-elle à Morton, je souhaiterais que mon mari se retire de la scène publique en compagnie de l'élue de son cœur et nous laisse, les enfants et moi, défendre et porter haut le nom de Galles jusqu'à ce que William monte sur le trône. Moi, je serais constamment derrière eux, à les guider et à les soutenir, et je sais que je pourrais accomplir cette tâche bien mieux si j'avais la possibilité de l'accomplir seule. [...] Je sais, au plus profond de moi-même, que ce n'est pas un hasard si nous avons eu deux garçons. Nous sommes le seul couple de la famille dans ce cas. Et je suis sûre que le destin y a été pour quelque chose. Harry se révèle un appui et un soutien plus extraordinaire encore qu'il n'était possible de l'imaginer. William, lui, occupera la position qui lui est destinée bien plus tôt qu'on ne le croit. »

Qui contrôle l'affection et l'esprit du prince William contrôle de fait l'héritage du trône d'Angleterre. Diana, dans cette entrevue, propose rien de moins, pour rénover la monarchie, que d'évincer son mari au profit de son fils et d'elle-même. Et pour convaincre l'opinion du bien-fondé de son ambition, elle invoque sa propre détresse.

Des millions de femmes s'identifieront désormais à « l'infortunée » Diana. Ses larmes, sa détresse conjugale, sa boulimie, tout ce mal-être qui l'accable lui assurent une compréhension profonde et réconfortante de ses concitoyens. C'est elle, mieux que les Windsor, qui est en empathie avec la réalité du pays. Elle et ses fils, et en particulier l'aîné, appelé à jouer un rôle essentiel dans la diffusion de ce message.

***

Wills vient tout juste de fêter son neuvième anniversaire. Diana, jugeant qu'il lui faut se rendre compte par lui-même du dénuement et de la souffrance de ses concitoyens, l'emmène, sous les yeux de la presse, rendre visite à Adrian Ward-Jackson, star de la danse et malade du sida. William ne sait rien du sida mais comprend que l'homme est très malade et observe sa mère s'efforcer de soulager sa détresse. «Serrer la main d'un malade du sida a été la chose la plus importante accomplie par un membre de la famille royale en près de deux cents ans», commente parmi d'autres Judy Wade, chroniqueuse des affaires royales pour le magazine britannique *Hello*.

Pourtant, des actions caritatives sont menées depuis longtemps par le clan Windsor. Charles, pour ne citer que lui, a fondé dès 1976 un organisme de subvention pour la formation des jeunes défavorisés, le Prince's Trust (Fiducie du prince), dont ont bénéficié près de cinq cent mille personnes entre sa création et le début des années 2000. Par ailleurs, sa Prince of Wales' Charitable Foundation (Fondation caritative du prince de Galles), créée en 1979, distribue chaque année à travers le monde le produit des droits d'auteur de ses livres, des lithographies imprimées à partir de ses aquarelles, comme une partie des bénéfices tirés de sa ligne de produits biologiques Duchy Originals. Dès 1981, Diana a mis sur pied son équivalent, le Princess of Wales Charities Trust (Fiducie des organisations caritatives de la princesse de Galles), un organisme qui, sans la moindre publicité, offre ses services aux femmes battues, aux dépressives et aux SDF. Mais ce qu'elle met en scène dans les années 1990 est quelque chose de très différent.

En 1995, toujours sous l'œil de photographes opportunément prévenus, elle entraîne ses deux fils à la rencontre de jeunes SDF dans un refuge ouvert par l'Église anglicane dans le quartier de Westminster. Là, William peut lier conversation avec les pensionnaires tandis qu'Harry se lance dans une bataille de cartes avec quelques-uns d'entre eux. Puis, en janvier de l'année suivante, au retour d'un séjour de vacances au ski avec leur père, c'est une visite au centre d'accueil d'urgence de Berwick Street, à Soho, qui est organisée. D'autres suivent au fil des mois, tandis que le fils aîné de Charles et Diana apprend au contact de sa mère le sens du devoir royal et la maîtrise de son angoisse devant la maladie et les tourments de ses concitoyens. Son aisance naturelle face à tous ceux qui viennent à croiser son chemin réjouit Diana, pour qui la timidité de Charles, son manque d'assurance, sa difficulté à communiquer, sont le triste résultat d'une enfance privée d'affection parentale par les usages désuets de la cour, et constituent un obstacle insurmontable à son accession au trône d'Angleterre.

«Je me mets au lit avec eux le soir, je leur fais un câlin et je leur pose cette question: Quelle est la personne qui vous aime le plus au monde? Et ils répondent toujours: "C'est maman!"», a confié Diana à Morton. Car l'avenir de la monarchie n'est pas le seul enjeu de la lutte sans merci que se livrent désormais Charles et Diana. Depuis que, dans les derniers jours de l'année 1992, la reine prenant acte des révélations d'Andrew Morton, s'est résignée à autoriser la séparation de corps du couple, le bien-être de leurs enfants est l'autre grand terrain d'affrontement entre les deux époux.

Les vacances, en particulier, donnent lieu à une surenchère sans précédent. Diana emmène les garçons aux Caraïbes, dans les Rocheuses, à Saint-Tropez, et dans les lieux généralement prisés par la jet-set. Charles préfère, quant à lui, les croisières en Méditerranée ou les safaris en Afrique. Et lorsqu'en 1995 la reine perdant enfin patience adressera à chacun des deux époux la lettre manuscrite leur demandant de divorcer, la princesse emmènera aussitôt ses fils au Harbour Club, complexe sportif ultra chic du quartier de Chelsea qu'elle fréquente avec assiduité depuis plusieurs années. C'est aussi dans le contexte du divorce qu'il faut replacer la manière dont Diana utilise la presse vis-à-vis des jeunes princes. Le message aux Windsor est clair : l'avenir de William et Harry sera au centre des tractations.

C'est avec William que les relations sont le plus intenses. Son aîné n'est pas seulement l'héritier de la couronne : il tient d'elle la blondeur solaire, le sourire désarmant, la sensibilité, mais aussi le sens politique. Depuis la rentrée 1995, l'adolescent est interne au collège d'Eton. Considérée depuis sa création en 1440 par Henri VI comme l'un des bastions de l'institution monarchique, cette bâtisse agréable au charme typique de la vieille Angleterre est en outre dotée d'un excellent niveau académique, et compte parmi ses anciens élèves dix-neuf Premiers ministres, ainsi que le duc de Wellington. Dans ce lieu privilégié, le règlement intérieur recommande aux parents de faire par avance connaissance avec les différents responsables d'internat du collège afin de choisir le cadre de vie le plus adapté à leur enfant. C'est un jeune homme marié et père d'une petite fille, Andrew Gailey, chef de l'internat de Manor House, qui a été recommandé à Charles et Diana pour William. Avec ce mélange particulier de discipline et de camaraderie qui est l'apanage des lycées anglais, Gailey va accompagner l'évolution de son élève royal durant les cinq années à venir.

À cette époque, cependant, l'emprise de Diana sur William semble n'avoir jamais été aussi puissante. C'est durant cette année 1995 que, à la moindre décision importante, Diana fait en voiture le trajet qui la sépare d'Eton pour y retrouver secrètement son fils, discuter avec lui de la conduite à tenir ou simplement fondre en larmes. Et c'est à cette époque, pourtant, que William va commencer à se rebeller et prendre de la distance avec sa mère.

Confident de Diana, il a vu passer auprès d'elle la plupart de ses soupirants (avérés ou non), depuis l'un de ses gardes du corps, Barry Mannakee – muté après un an de bons et loyaux services – jusqu'à Will Carling, alors capitaine de l'équipe d'Angleterre de rugby et à ce titre, par ailleurs, l'un de ses héros. Mais lorsque en novembre 1995 il assiste sur l'écran de télévision à l'émission *Panorama* dans laquelle sa mère livre au public le détail de ses aventures extraconjugales, il est sous le choc. La princesse de Galles y révèle en effet pour la première fois toute l'étendue de sa relation avec James Hewitt, un jeune officier de la cavalerie de la maison royale rencontré dès 1986, et avec qui elle n'a rompu que lors de son départ pour la première guerre du Golfe, en 1991. «Oui, je l'adorais, oui, j'étais très amoureuse», avoue-t-elle sans honte. Concernant sa vie avec Charles, elle ajoute ce commentaire resté fameux, en allusion à Camilla: «Nous étions trois dans ce mariage, alors c'était un peu l'heure de pointe.» C'est là son attaque la plus directe et la plus brutale contre les Windsor.

À son retour à Kensington, en réaction, son fils refuse de parler à sa mère plusieurs jours durant. «William était livide[1]», selon la chroniqueuse Simone Simmons. «Toute la presse s'en est bien sûr fait l'écho et il m'a raconté qu'on s'était moqué de lui à l'école après cela. Il avait eu de la compassion pour sa mère, mais cette fois, il était vraiment furieux contre elle. Des élèves insultaient Diana en classe, lui donnaient toutes sortes de noms. Et même s'il voulait la défendre, c'était désormais difficile. Le week-end après la diffusion, il y a eu une grande réunion au palais de Kensington. William était très en colère et Diana complètement perdue. J'étais là-bas le lendemain de leur discussion, Diana était dans un triste état.»

---

1. Citée par Katie Nicholl, *op. cit.*

William a de bonnes raisons d'être en colère. Comme si les révélations de sa mère ne suffisaient pas, Charles a pour sa part collaboré à la biographie que le journaliste Jonathan Dimbleby lui a consacrée, et révélé, au passage, toute l'étendue de sa relation avec Camilla. Maintenant, la presse se fait l'écho de conversations explicitement érotiques entre les deux amants. Non seulement la réputation des Windsor est au plus bas dans l'opinion, mais William voit dans les tabloïds la vie sexuelle de ses deux parents exposée dans ses détails les plus crus. Tout cela menace à la fois son équilibre psychologique et son avenir : dans les sondages, la monarchie n'a jamais été aussi impopulaire. Il est temps de réagir.

3

La rencontre

Le jeune homme qui, par un matin frais de l'automne 2001, pousse la porte de l'université de St Andrews est quelqu'un de bien différent. Un an plus tôt, en août 2000, le magazine *Tatler*, bible de l'aristocratie britannique, l'a classé neuvième parmi les cent personnalités les plus recherchées par les organisateurs de soirées mondaines, le couple Madonna et Guy Ritchie arrivant numéro un, ex æquo avec celui formé par son propre père et Camilla Parker Bowles. Une remontée spectaculaire pour lui qui, l'année précédente, occupait encore la soixante-deuxième place du même classement. «Il est aujourd'hui majeur et prêt à passer à l'action», invoquait le magazine pour justifier son choix. Et c'était le cas.

La «Willsmania» bat alors son plein. En septembre 2000, William a figuré pour la première fois au classement des dix personnalités les plus élégantes du monde, établi par le magazine *People*.

Une liste dont sa mère était pour ainsi dire l'invitée permanente. On remarque qu'il tient d'elle une élégance naturelle, un sens inné de la couleur, de la forme et du style. Ses costumes sont désormais réalisés sur mesure par Anderson & Sheppard, sur Savile Row, et ses chemises par Turnbull & Asser, sur Jermyn Street. De son père, il a hérité un goût très affirmé de l'élégance et du détail, la technique des petites fossettes au nœud de ses cravates de soie, et l'art de la pochette savamment froissée dans la poche de poitrine de ses vestes. Ce côté dandy ne l'a pas empêché de fêter ses dix-huit ans entouré de plusieurs jeunes femmes et d'amis d'enfance au Hot Rocks, un modeste bistrot de Londres où les clients sont invités à cuire leurs steaks eux-mêmes. Ce mélange d'élégance et de décontraction ravit l'opinion, en particulier dans sa frange féminine. C'est l'époque où la presse prête au jeune prince de multiples aventures imaginaires – avec l'une des Spice Girls, avec Britney Spears –, où des foules d'admiratrices massées sur les trottoirs le guettent à la sortie des hôtels lors de ses déplacements. En mars 1998, durant un voyage à Vancouver en compagnie d'Harry, les deux frères ont provoqué des émeutes dignes de stars du rock, de la part de fans criant et sanglotant leur amour devant les portes du Pacific Space Center de la ville. Une gamine transie de quatorze ans qui se précipitait sur William a dû être évacuée par la police. « On devrait pourtant le

laisser faire connaissance avec sa future femme»,
a-t-elle murmuré avant de s'évanouir.

«Je n'aime pas être au centre de l'attention, cela
me met mal à l'aise», commente-t-il, à l'occasion
de ses dix-huit ans, lors d'un entretien avec le cor-
respondant de la Press Association, Peter Archer.
«J'aime garder ma vie privée.» Pourtant, c'est déjà
la seconde fois qu'il se prête à ce genre d'exercice.
Cette dualité se vérifiera de nouveau par la suite.

À la vérité, sous ses allures élégantes et son mode
de vie starisé, William est, à dix-neuf ans, un garçon
en colère, blessé, bien décidé à régler ses comptes
un jour, notamment avec la presse, qu'il rend responsable des tensions entre ses parents comme de
la mort de sa mère. Il fait de son mieux, en attendant, pour donner le change. En dépit de ses apparitions dans la presse *people*, notent les observateurs
des affaires royales, rarement un héritier du trône a
manifesté si peu d'empressement à faire usage des
privilèges réservés aux personnages de sa condition.
Au début de l'année 1999, il a effectué un stage non
rémunéré chez Spink & Co, une filiale de la célèbre
maison de vente aux enchères Christie's, où il a
accepté les tâches traditionnellement dévolues aux
stagiaires: apporter le café, préparer le thé, faire les
photocopies. Au palais, il refuse qu'une personne
l'appelle Votre Altesse royale, s'incline ou fasse la
révérence; de même a-t-il décliné la possibilité de
faire broder ses chemises à l'emblème royal. Et c'est
vêtu d'un simple jean, d'une chemise de sport et

d'un pull de laine qu'il répond avec le sourire aux quelque trois mille résidents de St Andrews venus lui souhaiter la bienvenue, en ce matin du 24 septembre 2001. Il est, tient-il à faire savoir, un étudiant comme les autres.

La rumeur prétend qu'avant d'envoyer son fils en Écosse, le prince Charles lui aurait dressé une liste complète de recommandations toutes paternelles. Pas de flirt en public, pas de consommation excessive d'alcool et, surtout, interdiction de fausser compagnie aux gardes du corps. Une précaution bien inutile : William, le plus allergique aux médias de tous les membres du clan Windsor, n'a aucune envie de faire parler de lui. Bien sûr, rien ne se déroulera comme prévu.

Il a passé le week-end précédent en compagnie de quelques amis à Callander, une petite localité nichée au cœur des paysages magnifiques du parc national du loch Lomond et des Trossachs. Les mauvaises langues – et il y en a quelques-unes, à St Andrews – disent déjà qu'il vient grossir les rangs des *Yahs*, ces étudiants aisés issus des classes supérieures de la société britannique dont St Andrews est l'une des universités de prédilection. Soucieux de ne pas prêter le flanc aux commérages, et désireux de s'intégrer le plus vite possible à son nouvel environnement, le fils aîné de Charles et Diana emménage tout d'abord dans une chambre avec vue sur la mer à St Salvator's Hall, surnommé «Sallies», plutôt que dans un appartement en ville. *Home sweet home* pour environ cent quatre-vingts étudiants, le plus central et, de l'avis général, le plus élégant des bâtiments de l'établissement propose une soixantaine de chambres individuelles et soixante-cinq chambres doubles, les premières étant toutes meublées à l'identique : un lit d'une place, une chaise, un petit bureau, une armoire et une étagère.

Les élèves de première année sont invités à choisir des «parrains» académiques censés faciliter leur intégration. Les deux candidats retenus pour guider les premiers pas du petit-fils d'Elizabeth II sur le campus sont Alice Drummond-Hay, une jeune Américaine de vingt et un ans originaire de Norwalk, dans le Connecticut, et Gus McMyn, vingt-deux ans, un ancien du collège d'Eton. Petite-fille du comte de Crawford et Balcarres – chef de l'une des plus grandes familles d'Écosse et ex-lord chambellan de la Reine Mère –, Alice est aussi la fille de Lady Bettina Mary Lindsay, que la rumeur présente comme un ancien flirt du prince Charles. Bien que le palais de St James nie toute implication dans le choix des deux jeunes gens, leur pedigree impeccable tend à laisser penser tout le contraire. C'est donc solidement encadré, mais sans trop de certitudes, que ce soit sur ses capacités d'adaptation à sa nouvelle vie ou même sa passion pour l'histoire de l'art qu'il a choisie comme matière principale, que l'enfant chéri de la couronne fait ses débuts à St Andrews. Sans savoir encore très bien de quelle manière pourrait se dessiner son avenir.

Dans l'enceinte de «Sallies», les repas sont pris en commun dans une grande salle à manger lambrissée de bois sombre. À l'exception du week-end, où aucun dîner n'est servi, ils sont l'occasion, pour tous les étudiants, quel que soit leur cursus ou leur ancienneté, de se mêler les uns aux autres et de faire connaissance. Au sous-sol, les élèves ont à leur disposition une laverie automatique équipée de lave-linge et de tables à repasser, ainsi qu'une salle de jeu dotée d'une table de billard, d'une télévision avec lecteur DVD, d'une table de ping-pong et d'un jeu de fléchettes. Chaque étage dispose de deux kitchenettes avec micro-ondes et réfrigérateur où il est conseillé de ne pas laisser traîner de bouteilles de bière les samedis soirs. Une vaste salle commune pourvue de dizaines de petites tables rondes entourées de fauteuils confortables, d'un distributeur automatique de boissons et d'un choix de journaux complète la structure d'accueil. Une série de manifestations (soirées caritatives, bal annuel ou encore pique-nique de fin d'année) viennent renforcer l'atmosphère conviviale que l'on dit excellente à St Salvator's Hall.

Prudemment, William choisit de sécher la première semaine – dite Freshers' Week –, sept jours de bizutage pour prétendument faciliter l'intégration des nouveaux au sein de la petite communauté de St Andrews. «Les médias s'en seraient donné à cœur joie, et je trouve qu'il n'aurait pas été juste d'imposer ça aux autres. De plus, je pense que j'aurais proba-

blement fini par atterrir dans un caniveau, dans un
état lamentable, et il n'est pas sûr que les connais-
sances que j'aurais faites cette semaine-là auraient
pu se muer en amitiés durables. »

Parmi les quelques « amitiés durables » qu'il
forge durant ces premiers mois se trouve une jeune
fille originaire du Berkshire, logée elle aussi à
St Salvator, bien que à un étage différent du sien.
Très proche de ses parents et de ses frère et sœur,
James et Pippa, Kate Middleton, puisqu'il s'agit
d'elle, a tout pour comprendre la situation que doit
affronter le prince. Elle-même souffre d'être éloignée des siens, ne trouve pas vraiment sa place et
ne fait pas mystère de ses difficultés à s'adapter au
quotidien universitaire. Timide, plus réservée que
les autres filles, elle retrouve de plus en plus souvent
William tôt le matin, après son jogging matinal,
pour le petit déjeuner collectif, ou bien au réfectoire de l'université, sous les tableaux du XVIIIᵉ siècle
qui ornent les murs. Là, les principaux écrivains
des Lumières écossaises – Adam Smith, Benjamin
Franklin, David Hume, sir Walter Scott – posent sur
les étudiants un regard sévère. William y bénéficie de
la table la plus proche de celle, présidée par un fau-
teuil pourpre, où siègent les recteurs et surveillants.
Il y est entouré d'un petit noyau de proches parmi
lesquels un ancien du collège d'Eton devenu son
meilleur ami, Fergus Boyd. Kate devient vite une
fidèle. Elle est aussi bientôt sa partenaire préférée
au tennis, et rejoint encore William le soir chez Ma

Belle's ou The Gin House, deux des pubs fréquentés par les étudiants dans la petite ville de St Andrews, qui n'en compte pas moins de vingt-deux pour quelque seize mille habitants. En d'autres termes, à part étudier, se promener devant la mer et faire des rencontres déterminantes autour de pintes de bière et de whisky, il n'y a, à St Andrews, pas grand-chose à faire. Et si les gardes du corps du prince trouvent que le relatif isolement géographique de l'université leur rend la tâche plus aisée, les élèves, eux, le trouvent souvent difficile à supporter. «Lorsque je suis arrivé pour la première fois, se souvient un ancien étudiant interrogé par la BBC, je suis descendu du train à Leuchars (il n'y a pas de gare à St Andrews), je suis resté un moment sur le pont qui enjambe la voie ferrée, et j'ai regardé autour de moi. Il n'y avait rien d'autre que des paysages de campagne. Je me suis dit que personne ne devait se bousculer pour venir jusqu'ici.»

Située à quatre-vingts kilomètres environ au nord de la capitale écossaise, la bourgade de St Andrews, dominant la mer, n'a pour seule distraction, outre les pubs, qu'une unique salle de cinéma et, pour les étudiants, une soirée dansante tous les week-ends, d'octobre à mai.

Dans un tel environnement, à dix-huit ans, Kate passe d'autant moins inaperçue qu'elle n'a plus grand-chose de commun avec la jeune fille effacée de sa prime adolescence. Elle s'est vue consacrée plus jolie fille de St Salvator au terme de sa première semaine. Pourtant, sa relation avec William ne dépasse pas alors le simple stade de l'amitié.

Est-ce parce qu'elle sort avec un certain Rupert Finch, étudiant en droit de vingt-deux ans, membre de l'équipe de cricket, en passe d'achever ses études à St Andrews? Parce que William vit, de son côté, une idylle avec Arabella Musgrave, la fille du major Nicholas Musgrave, par ailleurs directeur du Cirencester Park, le plus vieux club de polo de toute l'Angleterre?

Les deux jeunes gens se sont rencontrés à la fin du mois d'août, au cours d'une soirée chez les van Cutsem, amis du prince Charles. Ils ont dansé jusque tard dans la nuit et, quand Arabella a embrassé ses parents et déclaré qu'elle montait se coucher, William l'a tranquillement suivie à l'étage. Ils partagent les mêmes passions, ont fréquenté les mêmes cercles et sont régulièrement aperçus au Tunnel House, un pub au décor chaleureux et cosy situé entre les villages de Coates et de Tarlton, non loin des sources de la Tamise. Très amoureux, Wills aurait emmené Arabella passer plusieurs week-ends romantiques dans les Cotswolds avant son départ pour l'Écosse. Depuis, les tourtereaux ont choisi de mettre un terme à leur idylle. «Je détestais l'idée d'être célèbre simplement parce que je sortais avec lui», commentera sobrement la jeune femme.

La célébrité, encore elle, est peut-être bien, justement, ce qui freine l'amour naissant entre Kate et William.

Séparé des siens – Highgrove se trouve à trois heures et demie d'avion de St Andrews, et à plus de sept heures en voiture –, et probablement déstabilisé par les aléas de sa vie sentimentale, l'aîné de Charles et Diana vit sa nouvelle liberté d'étudiant avec moins d'enthousiasme que prévu. « Accéder à davantage d'indépendance, ça n'est pas rien », avait-il reconnu lors de son entretien accordé à la Press Association, comme s'il avait eu le pressentiment de problèmes à venir. De fait, à St Andrews, il paye sa quête d'anonymat d'une existence désespérément plate. En dépit des multiples invitations à rejoindre des clubs d'étudiants – en particulier le très sélect Kate Kennedy Club, qui se donne pour but de maintenir les traditions ancestrales de St Andrews –, il garde ses distances. Il a adhéré à l'équipe locale de water-polo, plonge chaque matin ou presque à l'aube, seul avec Kate, dans la piscine du luxueux Old Course Hotel, mais, hormis les quelques visites rituelles aux pubs, c'est à peu près tout.

Sa situation est d'autant plus paradoxale que, avant même le début des cours, sitôt son inscription confirmée par le palais de St James, la faculté a connu un boom record de demandes d'admission féminines : plus 40 %, dues notamment à un afflux massif de candidatures de jeunes Américaines. Comme il était à prévoir, à peine a-t-il débarqué que la Willsmania s'est répandue comme une épidémie sur le campus. Sir Clement Freud, le proviseur de l'université, s'est même déclaré « navré » pour le prince, poursuivi où qu'il aille par une meute d'admiratrices en transe, organisées en réseau au moyen de leurs téléphones portables. «S'il est aperçu dans une boutique ou un bar, un simple SMS envoyé sur tous les mobiles permet de le localiser, et là c'est l'émeute, a-t-il témoigné. Cent vingt Américaines se mettent à courir dans Marker Street et vous, en les voyant, vous vous dites qu'il y a soit un début d'incendie quelque part, soit que William est dans le coin. À sa place, je trouverais ça horriblement effrayant. Il se conduit de manière remarquable, mais je ne pense pas que ce soit très drôle à vivre.»

Et les paparazzi font leurs comptes! Une photo de William échangeant un baiser avec l'une de ces demoiselles dépasserait facilement le million de livres sterling. Selon un bruit insistant, deux quotidiens au moins ont acheté un pied-à-terre en ville. La plupart des serveurs des pubs environnants auraient également été approchés pour fournir des informations sur les allées et venues de William, en échange de rémunération. «Les choses s'atténueront avec le temps, a sobrement commenté l'intéressé. Tout le monde finira bien un jour ou l'autre par se lasser de moi.» Ça, personne n'y croit. Pas même lui.

Quatre ans après la mort de la Princesse des cœurs, et alors que l'institution monarchique se remet difficilement des coups portés à son prestige par l'interminable guerre des Galles, l'opinion et les médias sont en effet déjà à la recherche de l'événement capable de redonner son lustre et sa magie d'antan à la royauté. Et qui permettra surtout aux Britanniques de renouer avec un sentiment de fierté nationale d'une intensité comparable à celui suscité par les noces de Charles et Diana, vingt ans plus tôt. Voilà pourquoi beaucoup espèrent que William ne tardera pas trop à prendre femme. Et s'ils croient dur comme fer que le futur monarque rencontrera l'élue à la faculté, c'est que les statistiques sont formelles : le nombre de mariages entre anciens étudiants de St Andrews dépasse de loin celui constaté dans n'importe quelle autre université du royaume.

Afin de prévenir tout débordement, et dans un souci louable de préserver la réputation impeccable de son établissement, le doyen, le Dr Brian Lang, a lancé un certain nombre d'avertissements, notamment dans *The Saint*, le magazine indépendant des élèves de l'université. Le message est clair : tout individu reconnu coupable de coopération avec les médias pourra aller s'instruire ailleurs. La grogne s'installe chez une partie des étudiants, inquiets pour leur tranquillité mais aussi préoccupés par la flambée des prix de l'immobilier qui a suivi l'annonce de la venue du petit-fils d'Elizabeth II. De plus, « question jolies filles, lui et ses amis vont forcément s'accaparer le premier choix », se lamente l'un d'eux dans les colonnes du quotidien *The Independent* du 21 octobre 2001. Pourtant, ce n'est pas le cas. À l'enthousiasme avec lequel le jeune prince abordait cette nouvelle étape de sa vie se mêle maintenant l'impression dérangeante de n'être plus qu'un objet de curiosité. Il adopte une attitude et un look dont il ne se départira plus jusqu'à la fin de ses études : casquette enfoncée sur les oreilles et tête baissée. Adulé comme une star, pourchassé où qu'il aille, William n'a d'autre refuge possible que l'inaction et la grisaille de la vie estudiantine.

Cela ne suffit pas toujours. À la demande du palais St James, la presse britannique s'est engagée à laisser le jeune homme en paix pendant toute la durée de ses études. Mais peu après le début des cours, une équipe de télévision a été repérée à St Andrews, et des élèves ont reçu plusieurs dizaines de livres sterling contre des informations sur leur illustre camarade. Renseignements pris, l'équipe en question s'est révélée appartenir à Ardent Productions, une compagnie dont le fondateur et heureux propriétaire se trouve être le prince Edward, l'oncle de William ! Les tabloïds du royaume ont crié au scandale. Andrew Neil, le recteur de l'université, a même estimé que ce genre d'agissement « dépassait l'entendement ». Les responsables d'Ardent ont eu beau nier toute intention de filmer l'aîné de Charles et Diana et prétendre vouloir remettre les rushes du tournage au palais de Buckingham, personne ne les a crus. Moins que quiconque l'héritier du trône, qui soutient que l'équipe s'est approchée suffisamment près et suffisamment longtemps de lui pour qu'il se sente importuné. Hors de lui, le prince Charles a demandé des explications à son frère cadet. Les excuses n'y ont rien changé. Le mal était fait.

C'est dans ce climat légèrement tendu que William et Kate ont appris à se découvrir. Comment dès lors se laisseraient-ils aller à faire parler les sentiments ? L'idylle avec Arabella avait au moins le mérite de rester confinée au milieu de la cour. Mais ici, dans la campagne écossaise, William est plus que jamais, et pour la première fois de sa vie, l'unique cible de la presse, comme sa mère avant lui.

***

William a quinze ans depuis deux mois quand, ce dimanche 31 août 1997, à 7 h 15 du matin, il ouvre les yeux pour découvrir son père les yeux remplis de larmes, assis sur son lit. Charles, qui a appris la nouvelle au beau milieu de la nuit, a, sur les conseils de la reine, préféré attendre l'aube pour prévenir ses fils de ce qui vient de se produire. La veille, en fin de soirée, Diana et son amant Dodi al-Fayed, en voyage à Paris, sont sortis de l'hôtel Ritz, dont le père de Dodi, le milliardaire égyptien Mohamed al-Fayed, est le propriétaire. Ils sont montés dans leur Mercedes-Benz en compagnie du garde du corps Trevor Rees-Jones et de leur chauffeur Henri Paul, avant d'être immédiatement pris en chasse par des paparazzi sur la rive droite de la Seine. À peine entrée à toute vitesse dans le tunnel de l'Alma, leur voiture a heurté le mur droit, fait une embardée sur la route à deux voies pour s'encastrer dans le treizième pilier du tunnel. Al-Fayed et Henri Paul sont morts sur le coup. Diana, encore vivante, a été transportée à l'hôpital de la Pitié-Salpêtrière où elle est décédée vers 4 heures du matin.

Trop choqué pour pleurer, William fait savoir à son père qu'il veut être avec lui lorsqu'il va annoncer la nouvelle à son frère cadet. Moins d'une heure plus tard, les couloirs du palais résonnent de leurs sanglots communs.

Voici un an déjà que le divorce de leurs parents est consommé. Depuis, William, pensionnaire à Eton, partage comme son frère ses week-ends entre l'un et l'autre. Un dimanche sur deux, il déjeune à Highgrove avec son père ou rend visite aux membres de la famille royale tandis que Diana s'efforce chaque fois qu'elle le peut de l'entraîner, avec son frère, dans un tourbillon toujours plus extraordinaire et toujours plus coûteux de sorties et de divertissements.

Une rumeur veut qu'il ait, par exemple, détesté chaque minute de l'été 1997 passé en compagnie de la famille al-Fayed. L'héritier de la couronne a par nature le goût des plaisirs rustiques, des marches dans la boue et de la traque au gibier dans l'air froid et piquant de la campagne anglaise. Diana perçoit cet éloignement intérieur de la part de son aîné et en souffre. Elle le met sur le compte de ses ennemis sans visage de Buckingham. «Ils», ceux qui font la loi au palais et qu'elle rend responsables de tous ses maux, cherchent à l'exclure de l'existence de son premier-né après l'avoir bannie de la famille royale.

Or, il n'en est rien. La vérité est plus simple: plus William est en mesure d'analyser et de comprendre le monde qui l'entoure, plus il réalise que l'existence menée par sa mère n'est pas toujours en accord avec ce principe de normalité qu'elle a pourtant toujours défendu.

«Je veux qu'il prenne conscience qu'Harry et lui grandissent au sein d'une société multiraciale et multiconfessionnelle, dont les représentants ne sont pas tous riches, ne partent pas tous en vacances quatre fois par an pour des destinations lointaines», a-t-elle un jour déclaré à un membre de son entourage. Pourtant, en dépit de sa générosité de cœur et de sa compassion sincères, comme en témoigne son action humanitaire pour la lutte contre les mines antipersonnel, en faveur des enfants d'Afrique, aux côtés de Nelson Mandela et de Mère Teresa, elle mène une vie en tous points comparable à celle de Dodi al-Fayed.

L'homme est sympathique, aime les enfants, mais William s'accommode mal de la panoplie de nouveau riche de ce milliardaire producteur de cinéma, avec ses yachts luxueux, ses jet-skis, ses avions privés, tout cet étalage ostentatoire de luxe et de biens de consommation qu'il déploie dans le but manifeste d'impressionner les deux princes sans comprendre à quel point William le juge déplacé. Rien, en effet, n'est plus éloigné du quotidien des membres de la famille Windsor. Le décalage entre les leçons de simplicité et d'humilité apprises de sa mère et cette vie sans autre but apparent que de se divertir à tout prix lui paraît incompréhensible.

La distance l'aide aussi à mieux appréhender certains aspects du caractère de Diana. Depuis la fin des années 1980, William et Harry bénéficient des services d'une « gouvernante » du nom de Tiggy Legge-Bourke. Jeune, énergique, intelligente, toujours vêtue de tailleurs élégants, Tiggy est en réalité pour les deux princes bien plus qu'une simple nounou : une confidente et une amie dont la presse s'est entichée. Or, rien n'irrite davantage Diana que cette rivale, ainsi que les clichés publiés régulièrement montrant une Tiggy tout sourire couvant tendrement du regard William et Harry ou parlant d'eux comme de *ses* bébés.

À l'hiver 1995, les photos de Tiggy ajustant les lunettes de ski et le bonnet d'Harry, une cigarette à la main, la mettent en fureur. Comment peut-elle fumer tandis qu'elle s'occupe de ses fils ? Miss Legge-Bourke semble bien être aussi la seule à se permettre d'embrasser William sur les deux joues, ou d'investir sans prévenir la piscine de Highgrove en compagnie d'un groupe d'amis sans que Charles ne bronche. Diana ne veut ou ne peut voir que, loin de considérer leur nounou comme une seconde mère, William et Harry voient plutôt en elle la grande sœur qu'ils n'ont jamais eue. Tiggy aime la chasse – c'est d'ailleurs l'une des plus fines gâchettes de leur entourage –, elle raffole des sports mécaniques, comme la conduite à grande vitesse, et les plaisanteries un peu lourdes ne l'effraient pas. Les deux princes adorent ses manières de garçon manqué, son teint rose et sa formidable énergie, sa bonne humeur et son franc-parler. «C'est une coquine pleine d'humour et d'entrain, confie l'un des proches du prince de Galles. Les garçons en sont fous mais ne veulent pas contrarier leur mère.»

Le code de conduite imposé à l'entourage des Windsor s'accommode mal d'une telle personnalité. Durant l'hiver 1996, Tiggy commet la faute impardonnable de serrer Harry dans ses bras et de lui donner un baiser sur le front à la sortie de l'office. La sanction tombe : elle est remplacée par une certaine Phyllida Dare, âgée de cinquante-trois ans. Elle reste cependant, à l'insistance des jeunes princes, affectée «à temps partiel» à leur service. Quand, trois mois plus tard, une nouvelle photo la montre tenant par la main le petit prince Harry, Diana explose. Partie d'on ne sait où, une mystérieuse fièvre s'empare alors des tabloïds britanniques. On murmure que la nature des relations entre Tiggy et le prince Charles aurait fini par inquiéter Camilla Parker Bowles. La jeune femme perd son emploi à temps partiel.

C'est alors – nous sommes en mai 1997, six mois avant la mort de Diana – que William manifeste son indépendance. Sans en avertir ses parents, auxquels il a expressément demandé de se tenir à l'écart de la manifestation, il invite Tiggy au traditionnel pique-nique de fin d'année réunissant les élèves d'Eton. La gouvernante divertit les camarades de Wills, supervise leurs jeux, organise les présentations avec un groupe d'admiratrices du jeune prince, le tout sous l'œil des photographes de tabloïds. Les clichés à peine publiés, Diana réclame des explications à son aîné pour ce qu'elle estime être une humiliation publique impardonnable. Elle soupçonne de plus Charles d'en être le complice. De nouveau, la guerre fait rage entre les parents de William, mais ce dernier n'en a cure. Par l'intermédiaire de Tiggy, il vient de leur lancer un avertissement: plus jamais il ne sera l'enjeu impuissant et soumis de leurs conflits.

Cette détermination nouvelle surprend Diana et la force à la conciliation. Elle propose à Miss Legge-Bourke d'enterrer la hache de guerre au cours d'un déjeuner dans ses appartements du palais de Kensington. Tiggy, croyant à un piège, commence par décliner poliment l'invitation, mais elle se trompe. Sa liaison avec al-Fayed semble avoir apaisé Diana et en partie comblé son besoin d'être aimée et protégée. Peut-être aussi sent-elle la nécessité de passer un pacte avec sa prétendue rivale si elle veut conserver quelque influence sur son fils aîné, qui, cet été-là, critique plus que jamais son nouveau mode de vie. Le 28 août 1997, c'est sous le regard approbateur de la reine que Tiggy, de retour en grâce, fait danser William et Harry au cours du Ghillies Ball, la fête annuelle du personnel du château de Balmoral. Trois jours plus tard, à Paris, la tragédie du tunnel de l'Alma vient brutalement mettre un terme à ce conflit non réglé.

***

Tout le monde a gardé en mémoire les images de la reine défilant devant les énormes gerbes de fleurs déposées devant les grilles du palais par la population de Londres en hommage à Diana. On mesure mal, hors des frontières de l'Angleterre, l'intensité de la crise provoquée par l'apparente froideur du clan Windsor face à la mort de Lady Di, et restée dans les annales, notamment grâce au film de Stephen Frears, *The Queen*, avec Helen Mirren dans le rôle d'Elizabeth II. À Buckingham, le drapeau n'est pas même en berne. «Pourquoi la famille royale ne peut-elle pas afficher son deuil?», s'indigne le *Daily Mail*. «Votre peuple souffre!», titre pour sa part le *Daily Mirror*. Et le *Sun*: «Où est la reine quand le pays a besoin d'elle?» Selon un sondage de l'époque, près d'un quart des Britanniques se disent alors convaincus que la monarchie doit être abolie.

Puis, au bout d'une semaine de tension, et après la docte apparition d'Elizabeth en costume de deuil devant les fleurs, le 6 septembre, la famille royale au grand complet défile derrière le cercueil de Lady Di en route vers l'abbaye de Westminster. La veille, un dîner à Buckingham Palace a été organisé par la reine afin de convaincre William de jouer son rôle au premier rang. Dévoré de chagrin, et peut-être aussi d'une certaine forme de regret au souvenir de tout ce qu'il n'a pas eu le temps de dire à sa mère, le jeune prince de quinze ans ne se sent en effet pas de taille à défiler derrière le cercueil sous les yeux de trois millions de personnes. Pour autant, son absence serait impensable. Il faudra toute la persuasion du duc d'Édimbourg, que William vénère, pour le convaincre de surmonter sa douleur et sa peur et prendre, avec son frère cadet, sa place au premier rang du cortège. Nul doute que l'épisode fait pour lui office d'apprentissage particulièrement rude des obligations royales. Il s'y plie néanmoins avec un instinct sûr : dans les jours qui suivent, son attitude émeut jusqu'aux larmes les Britanniques massés devant les grilles du palais de Buckingham. Il serre les mains qui se tendent, réconforte les femmes en pleurs, et se comporte en tous points comme si la douleur des autres avait plus d'importance que la sienne. C'est alors que les commentateurs commencent à souligner les multiples ressemblances, tant dans sa physionomie que dans sa personnalité, qui semblent faire de William le véritable légataire de sa mère. Son double et son héritier.

***

Et s'il quittait St Andrews ? S'il renouait avec Arabella et avec sa vie londonienne ? En dépit de la présence de Kate, William s'ennuie durant son premier hiver à l'université. Le cursus d'histoire de l'art, réputé particulièrement difficile, exige de lui des résultats excellents, et il suit par ailleurs sans plus d'enthousiasme des cours d'anthropologie sociale et de philosophie. La géographie est la seule discipline qui l'intéresse.

Kate est sans doute la seule dans tout St Andrews à comprendre et partager le malaise du jeune prince. Elle-même éloignée de sa famille, solitaire, elle se sent probablement quelque peu déplacée dans cette université conçue pour l'élite du pays. Pourtant, peut-être justement parce qu'elle est devenue son amie et sa confidente, peut-être aussi parce que William recule devant une évidence qui l'engagerait trop, ils ne sautent pas le pas. William va même jusqu'à lui préférer une grande brune du nom de Carley Massy-Birch, jeune professeur de littérature anglaise et d'écriture créative. La jeune femme a l'avantage sur Kate de posséder une maison indépendante sur Crail Lane, dans les environs de l'université, où William peut parfois se réfugier pour échapper aux étudiants, aux pubs bondés de curieux et aux pressions des admiratrices. D'un an plus âgée que lui, ayant grandi dans une ferme à Axminster, c'est une vraie fille de la campagne, terre à terre, sans apprêt – et c'est son second atout : ce qu'elle propose au jeune prince n'a rien de passionnel. « Je crois que c'est pour ça que nous nous entendions bien[1] », témoignera-t-elle plus

---

1. Citée par Katie Nicholl, *op. cit.*

tard. Ils se retrouvent d'ailleurs chez elle si discrètement que leur liaison passe à l'époque totalement inaperçue. Elle lui prépare à dîner, ils discutent littérature, théâtre – un art qu'il aime et pratique en amateur depuis l'enfance –, elle est jolie, charmante, sans façons, et lui offre exactement ce dont il a besoin, mais sans plus. Auprès d'elle, il jouit presque d'une sorte d'anonymat. Kate serait un amour, Carley est un refuge. Avec elle, il échappe à sa condition. Il n'est plus l'héritier de la couronne, ni le fils de Lady Di en proie à un malaise que Kate comprend si bien, il n'est plus l'étudiant penché sur l'histoire quelque peu fastidieuse du mobilier écossais de 1840 à 1950 ou celle des constructions à la campagne de 1650 à 1750 – deux cours au programme d'histoire de l'art à St Andrews –, et il échappe même à son petit lit d'une place dans la chambre d'étudiant aux murs blanc crème un peu triste, à la porte blindée et aux vitres pare-balles.

Le week-end, lorsqu'il ne file pas rejoindre son cousin James Ogilvy à Édimbourg, William s'arrange pour rentrer à Highgrove auprès de son père. Située aux abords de Tetbury, dans le Gloucestershire, Highgrove est une demeure du XVIIIe siècle entourée de cinq cents hectares de terres cultivables et de jardins, acquise en 1980 par le duché de Cornouailles au nom du prince de Galles. Fervent écologiste, Charles y a tout de suite développé des méthodes d'agriculture biologique, avant de créer en 1990 Duchy Originals, une marque de produits haut de gamme – biscuits secs, pain, chocolat, fromages, saucisses, boissons naturelles et confitures – dont les bénéfices, atteignant plusieurs millions de livres sterling, financent ses activités caritatives et humanitaires. Highgrove a toujours été son refuge. Levé tous les jours à 7 heures, il quitte sitôt qu'il le peut ses appartements londoniens pour la douce quiétude du Gloucestershire où, à la tombée de la nuit, on peut l'apercevoir assis, seul, dans la pénombre de sa bibliothèque, entouré d'un amoncellement de livres, de photographies et de dossiers.

William, lorsqu'il y vient, occupe quant à lui une suite couleur miel dont les hautes fenêtres à guillotine offrent une vue magnifique sur l'étendue de la propriété. Son père l'a initié dès ses années de collège aux techniques bio. À Eton, il est même devenu secrétaire de la société agricole du pensionnat. Un peu comme avec Carley, l'adolescent prend plaisir à se retrouver seul avec Charles dans cet endroit isolé. Il aime comme lui la chasse, les animaux, la solitude loin des rituels royaux, des obligations, des photographes et de la presse, dont tous deux se méfient pareillement.

Charles a subi les premiers assauts des médias bien avant Diana, dès le début des années 1960, et n'a cessé d'en payer le prix fort. D'un tempérament déjà timide, il a vu les journalistes l'épier lors de sa première prise d'alcool dans un pub en juin 1963 – un simple verre de cherry qui a fait scandale – et, en 1964, au grand dam de son père, il a vu son cahier de dissertation volé publié dans les colonnes du magazine allemand *Der Stern*. William est de son côté persuadé que la pression et l'influence des médias a joué un rôle déterminant dans la désintégration du mariage de ses parents, voire dans les circonstances de l'accident qui a coûté la vie à sa mère.

À l'évidence, la tragédie les a rapprochés. Lorsqu'ils sont ensemble, l'atmosphère est généralement à l'humour et à la détente. Deux ans plus tôt, en juin 1998, neuf jours avant son seizième anniversaire, William a même fait connaissance avec la compagne de Charles, Camilla Parker Bowles, que Diana rendait responsable de tous ses maux. Cela faisait déjà des mois que Camilla passait plusieurs jours par semaine à St James, où l'adolescent disposait de ses propres appartements. Le 11 juin, il a appelé en fin d'après-midi pour prévenir qu'il passerait rapidement au palais se changer avant de ressortir avec quelques amis. Camilla s'est affolée, a même songé à quitter Londres dans la minute. Mais Charles l'a convaincue de rester et, par téléphone, a prévenu son fils de sa présence. «Mrs Parker Bowles sera là lorsque tu arriveras, lui a-t-il fait savoir. Quel est aujourd'hui ton sentiment sur la question[1]?» William, en vérité, attendait cette rencontre. Camilla est la première personne que Charles a appelée le matin de la mort de Diana.

---

1. Cité par le journaliste Stuart Higgins dans le *Sunday Times*.

Elle est la femme de sa vie. Tout comme Harry, Wills désire le bonheur de son père, et veut voir la situation se normaliser enfin au sein de sa famille. Il est de plus reconnaissant à Camilla d'avoir toujours su s'éclipser de Highgrove chaque fois que son frère et lui venaient y passer le week-end.

La rencontre, dans l'un des petits salons des appartements du prince de Galles, n'a pas duré plus d'une demi-heure. Apparemment conscient de la nervosité de Camilla, William a fait la démonstration de son tact et de ses talents diplomatiques en parvenant à dissiper les craintes de la compagne de son père par des paroles amicales. Thé et petits sandwiches ont été servis, l'ambiance s'est détendue. À l'époque, un an à peine après la disparition de Diana, Charles et sa compagne n'envisageaient évidemment pas de se marier. «Là, dehors, la moitié des femmes me hait et l'autre commence tout juste à m'accepter», commente régulièrement Camilla.

William a été touché par cette modestie revendiquée. Au fil des mois, la compagne du prince de Galles et le fils de ce dernier se sont liés d'une véritable affection. On raconte même que, en décembre 1999, lorsque Camilla s'est vue clouée au lit par un début de pneumonie, Wills est régulièrement venu dans ses appartements pour lui apporter des boissons chaudes. Par ailleurs, face à la volonté de plus en plus manifeste d'indépendance exprimée par le jeune homme, Camilla est apparue comme l'une

C'est au Kenya, à l'automne 2010, que William demande à Kate sa main. Sur les premières photos officialisant leur future union, on ne peut que remarquer la bague. Le superbe saphir entouré de quatorze diamants exhibé par la future princesse n'est autre que la bague de fiançailles de Diana. Tout un symbole. (ph.Gamma)

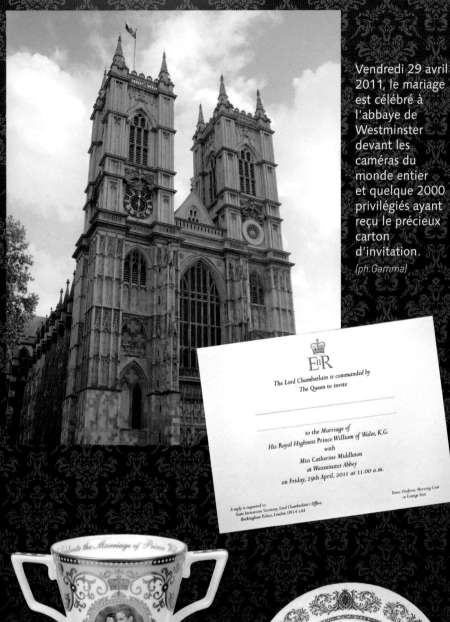

Vendredi 29 avril 2011, le mariage est célébré à l'abbaye de Westminster devant les caméras du monde entier et quelque 2000 privilégiés ayant reçu le précieux carton d'invitation. *(ph.Gamma)*

EⅡR

The Lord Chamberlain is commanded by
The Queen to invite

_____

to the Marriage of
His Royal Highness Prince William of Wales, K.G.
with
Miss Catherine Middleton
at Westminster Abbey
on Friday, 29th April, 2011 at 11.00 a.m.

A reply is requested to:
State Invitations Secretary, Lord Chamberlain's Office,
Buckingham Palace, London SW1A 1AA

Dress: Uniform, Morning Coat
or Lounge Suit

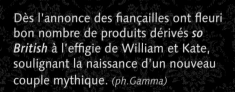

Dès l'annonce des fiançailles ont fleuri bon nombre de produits dérivés *so British* à l'effigie de William et Kate, soulignant la naissance d'un nouveau couple mythique. *(ph.Gamma)*

Tout le monde, depuis son plus jeune âge, connaît évidemment William – Wills pour les intimes –, petit-fils de la reine Elizabeth II, fils aîné de Charles et Diana et héritier en second de la couronne.
(ph.Gamma)

Avec son père et Harry, son frère cadet.
(ph.Gamma)

Très tôt, William a pris conscience de son destin hors du commun. Comme en ce jour tragique où furent célébrées les funérailles de Lady Di – un événement qui marqua une rupture profonde entre la monarchie et le peuple anglais.
(ph.Gamma)

Jusqu'à sa rencontre avec William, Kate (ci-contre au centre et ci-dessous) aura vécu une enfance et une adolescence normales. Un peu trop au goût de certains à Buckingham, qui jugent modestes les origines de la jeune roturière et vulgaire l'activité de ses parents.

Kate est la fille aînée de Michael et Carole Middleton, un ancien pilote et une ex-hôtesse de l'air de British Airways reconvertis dans le commerce en ligne.
(ph.Gamma)

En compagnie de James, son frère cadet.
(ph.Gamma)

C'est à l'université de St Andrews, où ils sont tous deux entrés en septembre 2001, que Kate et William se sont rencontrés. *(ph.Gamma)*

Ils en sortiront diplômés... et unis par une promesse alors secrète. *(ph.Gamma)*

D'abord simples amis, tout a basculé le 27 mars 2002. C'est en voyant Kate défiler dans cette robe sexy que William est tombé sous le charme. *(ph.AFP)*

Entre le début de leur idylle et l'annonce de leurs fiançailles, l'attente aura été longue. William préférait dans un premier temps se consacrer à sa formation militaire. *(ph.Gamma)*

Et puis il y eut aussi cette période où ils se séparèrent, époque au cours de laquelle on vit Kate courir les soirées branchées, souvent vêtue de manière provocante. *(ph.Gamma)*

Kate et sa sœur Pippa furent alors surnommées par la presse les *Sizzlers Sisters* – les sœurs torrides.

Arabella Musgrave, Davina Duckworth-Chad ou (ci-contre) Jecca Craig… Nombreuses furent les rivales que Kate dut écarter. *(ph.Gamma)*

Mais ils surent se retrouver pour ne plus se quitter. Dès lors, Kate se plie à l'étiquette et prend très au sérieux son rôle de future princesse. *(ph.AFP)*

La reine Elizabeth en personne a succombé au charme indéniable de la jeune femme. *(ph.Gamma)*

Avec Harry, dont elle est proche. *(ph.Gamma)*

William et Kate donnent l'image d'un jeune couple moderne, en phase avec son époque. Un espoir pour la monarchie anglaise et tout un peuple. *(ph.Gamma)*

des personnes les mieux à même d'exercer une influence apaisante sur lui.

Car William a changé. Après la mort de sa mère, une petite touche d'acier trempé est venue durcir son tempérament déjà naturellement très affirmé. Du coup, les liens neufs qui l'unissent à Charles, s'ils sont profonds, ne sont cependant pas sans accrocs.

En 1999, une série de discussions houleuses l'a opposé à son père au sujet de son indépendance, concrétisée par les appartements à sa disposition dans l'enceinte de York House, au palais de St James. Il a exigé d'en avoir seul la clé, et décrété que le personnel du palais n'avait pas à y entrer sans lui avoir au préalable demandé l'autorisation. Les désaccords qui se sont multipliés sont allés parfois jusqu'à l'insolence. Un soir où Charles rentrait à Highgrove après une visite à l'étranger épuisante, William, attablé avec quelques amis, s'est ouvertement moqué de la fatigue de son père et l'aurait traité de «vieux fou».

Il semble en fait que William n'ait cessé d'osciller entre plusieurs attitudes dans les années qui ont suivi la mort de sa mère et qu'il ait pu se montrer difficile, autoritaire, et même arrogant. La politique n'est pas entièrement étrangère à ce comportement. Sa popularité va grandissant, et, s'il en souffre, elle lui donne néanmoins un ascendant certain sur son père, qu'il éclipse dans l'opinion. C'est aussi l'époque ou William défie le Premier ministre Tony Blair. Au début de l'automne 1999, ce dernier s'est prononcé en faveur de l'interdiction de la chasse au renard, qui est par tradition l'une des activités les plus symboliques de la royauté anglaise. Or, en octobre, sachant pertinemment que sa décision va faire scandale, Wills choisit de participer à la chasse à courre organisée par le très sélect Beaufort Hunt, dans le Gloucestershire. Charles, coincé entre son Premier ministre et son fils, a renoncé à s'opposer à ce dernier. Interprétée comme une preuve de courage pour les uns, la bravade de William a été stigmatisée par les autres comme un signe d'arrogance antidémocratique, et par d'autres encore comme la preuve de son hostilité face aux pressions imposées par l'institution monarchique sur son existence.

Si le poids des médias ajoute à la complexité des rapports avec son père, ceux-ci sont aussi très certainement compliqués du fait des souffrances et frustrations endurées par le prince Charles tout au long de sa propre adolescence. De toute évidence, Charles souhaite laisser à ses deux fils autant de liberté que possible – une liberté dont il a lui-même manqué –, dans les limites imposées par leur statut d'Altesses royales. Mais où s'arrête cette liberté ? Wills organise des dîners à St James sans en avertir son père et conteste la présence des gardes du corps à ses côtés. Depuis quelque temps déjà, en privé, Charles s'agace de ne pas être tenu au courant de ses allées et venues, comme du cercle d'amis dont il s'entoure, et des endroits où il dort lorsqu'il n'est pas au collège. Et il a de bonnes raisons pour cela.

En février 2000, le *Sunday Times* révèle que l'une des membres du cercle de William, une ravissante jeune fille prénommée Izzy, a été surprise en flagrant délit de consommation de cocaïne au cours d'une soirée branchée londonienne. William lui-même semble assidûment fréquenter les bars, boîtes de nuit et restaurants à la mode de la capitale.

À Londres, il fait la fête au K-Bar, dont le mot d'ordre est « voyeurisme et évasion de la réalité », au Crazy Larry, sur King's Road, et au JaK's, sur Lower Street, où il serait apparu un soir le visage entièrement couvert de peinture dorée. Tous ces lieux sont les rendez-vous de prédilection de la jeunesse branchée de Kensington, Mayfair ou Chelsea. Et les officiers de Scotland Yard chargés de la protection du prince se sont officiellement inquiétés auprès de leurs supérieurs de la tendance à la consommation de drogue dans son entourage.

Le fait est que, par souci d'indépendance, William a tissé autour de lui un voile opaque de silence et de secret. Non seulement son père ignore tout de ses fréquentations, mais certaines sont issues du cercle même du prince Charles. C'est ainsi par Edward et William van Cutsem, ses compagnons de chasse attitrés, et dont la mère Emilie est une intime de son père, que William a fait la connaissance de la sulfureuse Izzy, comme l'année suivante d'Arabella Musgrave. Emilie a d'ailleurs prévenu Charles des propensions de Wills à fréquenter les cercles où circule la drogue, et ce dernier a si mal pris cet avertissement qu'il s'est temporairement brouillé avec elle. Mais même Tom Parker Bowles, le propre fils de Camilla et l'un des intimes de William, a été pris en possession de marijuana en 1995. Quatre ans plus tard, durant le Festival de Cannes où il officiait comme chargé de relations publiques pour une société de production, Tom s'est de nouveau fait piéger, par un journaliste anglais cette fois, à qui il indiquait où et comment se procurer de la cocaïne. Proche de Guy Ritchie, le mari de Madonna, il figure depuis au premier rang de la liste des amis dangereux du jeune prince établie par les tabloïds. Provisoirement banni de son entourage, Tom reste cependant comme une sorte de demi-frère pour William. Il est invité par celui-ci pour une croisière mais décline, probablement sous la contrainte de ses parents. Quelque temps plus tard, alors qu'il est de retour en grâce depuis peu, la presse fait état d'une cuite monumentale qu'il prend au Festival de Berlin !

Charles se dit publiquement dévoré d'inquiétude par cet environnement plus proche d'un roman de Brett Easton Ellis que des mœurs traditionnellement en usage à la cour des Windsor. « Les drogues, voilà ce qui m'inquiète le plus, confie-t-il au *Mail on Sunday*. Et le problème est que je ne sais pas quoi faire. Elles paraissent si aisément disponibles... » Au pensionnat d'Eton, l'un des camarades de William a été renvoyé après qu'on l'eut surpris à fumer du cannabis. En 1999, apparemment sur les conseils de ses gardes du corps, William doit quitter précipitamment une fête organisée au Kabaret Club de Soho pour le vingt-et-unième anniversaire de Laura Parker Bowles, la fille de Camilla. Le 1er janvier 2000, au petit matin, de retour des célébrations du nouveau millénaire, Nicolas Knatchbull, dix-huit ans, fils de lord Romsey, l'un des plus proches confidents du prince Charles, est arrêté par un contrôle de police, et les trois passagers de sa voiture pris en possession d'herbe. Enfin, sensiblement à la même époque, l'une des principales figures de proue des nuits londoniennes, Tara Palmer-Tomkinson, amie intime de William et l'une des rares autorisées à passer en sa compagnie les vacances d'été, est admise en cure de désintoxication dans une clinique spécialisée de l'Arizona, aux États-Unis. William et Harry ont grandi en sa compagnie au point de la considérer comme une sœur. La presse se répand sur des rumeurs de liaison (totalement infondées) entre elle et William. Elle aurait délibérément cherché à l'embrasser en ôtant le haut de son maillot de bain. La jeune femme croit bien faire en démentant ces allégations dans les colonnes du magazine *Tatler*, et, comme on pouvait s'y attendre, le remède se révèle pire que le mal. Les Windsor subissent le scandale. Tout le monde croit William vulnérable.

C'est pourquoi Charles s'inquiète sérieusement lorsque, aux vacances de Noël 2001, de retour à la maison, William lui annonce qu'il n'a pas l'intention de rempiler à St Andrews. Le prince de Galles écoute patiemment son fils lui expliquer que l'université est trop provinciale, trop loin de tout, et les cours trop ennuyeux. Il réfléchit. Il sait combien son fils peut être têtu et déterminé, et entrevoit les conséquences d'une telle décision. «La plupart des jeunes ont la possibilité de se tirer sans trop de mal des petits accrocs de l'existence, confiait l'année précédente le cousin germain de la reine, Michael de Kent, à la presse. Mais lorsque vous êtes constamment la cible de la curiosité du public et que vous commettez une erreur, alors cette erreur est inévitablement portée à la connaissance de tous.» Ce qui ne serait dans n'importe quelle autre famille rien de plus qu'une crise d'adolescence un peu tumultueuse est, de la part du fils de Lady Di, et à la cour des Windsor perpétuellement scrutée par la presse, une affaire d'État potentielle. Sans compter le désastre, en termes d'image, que représenterait une telle démission pour l'université et pour l'Écosse tout entière.

La reine et le duc d'Édimbourg, tenus au courant de la situation, font alors passer le message : «Relève la tête et remets-toi au boulot.» Lorsqu'on est un prince de sang, il ne fait pas bon être considéré comme un faible ou un déserteur. Au cours de leurs conversations en tête-à-tête cet hiver-là, Charles raconte à son fils les difficultés qu'il a lui-même traversées à Cheam, puis au collège de Gordonstoun, lorsqu'il était enfant. «J'étais découragé, admettra William plus tard, je ne me sentais pas vraiment à mon aise. [...] Mais mon père l'a très bien compris, il a réalisé que mes problèmes étaient les mêmes que ceux qu'il avait lui-même connus autrefois. Nous avons beaucoup discuté.»

Le doyen de St Andrews participe lui aussi aux discussions, et, bien que nul ne le sache alors, Kate elle-même, par téléphone interposé. William lui a dit avant les vacances qu'il risquait fort de ne jamais revenir à St Andrews. Il existe peu de témoignages de son état d'esprit de l'époque, et il est difficile de se faire une idée de ses sentiments à ce stade encore embryonnaire de leur histoire. Mais en tant qu'amie et confidente, elle l'aide incontestablement à faire le point. Un accord est finalement trouvé. William arrête l'histoire de l'art qui l'ennuie et s'inscrit en géographie, tandis que l'administration de St Andrews lui fournit un tutorat particulier. Il est aussi admis que, de retour à l'université, il quittera sa chambre étroite de St Salvator's Hall pour un nouveau logement à l'écart du campus. Début janvier, ayant obtenu ce qu'il voulait, Wills reprend donc le chemin de l'Écosse.

Comment Kate accueille-t-elle son retour, sinon avec plaisir, voire avec soulagement? Mais il y a toujours sa relation avec Rupert Finch. Rien de passionnel, sans doute, mais les choses sont suffisamment sérieuses pour durer tout le long de cette année-là. La loyauté, et peut-être bien aussi un certain sens tactique, sont les grandes qualités de Kate Middleton. Quels que soient ses sentiments à l'époque, elle sent que, du fait de son statut royal comme du magnétisme qu'il exerce sur les filles, William a sur elle un avantage certain. Quelle chance aurait-elle d'être prise au sérieux si, du jour au lendemain, elle rompait avec Finch pour se jeter dans les bras du prince ? Sans compter qu'elle ignore tout de ses sentiments, mais qu'il ne fait pas mystère de sa relation avec Carley, que Kate ne supporte pas. Et il suffit de lire les inévitables tabloïds, même distraitement, pour réaliser que cette dernière n'est pas la seule jolie fille dans l'entourage de William. Si quelque chose doit se produire entre eux, songe Kate, c'est à lui de faire le premier pas.

Cela se produit au début du printemps suivant, lors de la soirée du 27 mars 2002 au Bay Hotel de St Andrews, un établissement cinq étoiles. C'est là que, chaque année à la même époque, l'université organise le Don't Walk Charity Fashion, un événement géré par les étudiants eux-mêmes mêlant concert rock et défilé de mode, qui passe pour le plus prestigieux d'Écosse. Ses bénéfices alimentent des organismes caritatifs. Kate défile, ce soir-là. William est au premier rang lorsqu'elle surgit en dansant sur le podium, vêtue d'une robe transparente laissant deviner des sous-vêtements noirs et sexy. Avec ses cheveux légèrement ondulés, sa taille de guêpe, il devient vite évident pour tout le monde qu'elle est la star de la soirée. Ce que William, fasciné comme les autres, résume d'une phrase étranglée à Fergus Boyd, assis à ses côtés: «Waouh! Kate est super sexy!»

La suite se passe au foyer des étudiants, lieu de la fête suivant le défilé et où, tandis que la musique bat son plein, les deux jeunes gens sont assis sur les marches du perron à l'écart de la foule et du bruit. William est ouvertement sous le charme. Tous les témoins de la scène se souviennent comme le courant passe à ce moment-là entre eux de manière inédite, comme si tout ce qu'ils ne s'étaient pas dit jusque-là, y compris à eux-mêmes, s'exprimait désormais ouvertement.

Au moment de trinquer au succès de la jeune femme, William se penche vers elle pour l'embrasser. Elle le repousse. Elle est probablement stupéfiée, presque choquée par la soudaineté du geste de William, ce baiser qu'elle a espéré mais auquel elle ne s'attendait sûrement pas à cet instant. Oui, l'attirance est réciproque. Mais Kate ne manque pas, elle non plus, de sens politique. Le seul fait que William se risque à un baiser public alors qu'ils sont tous deux le centre de l'attention et qu'elle est encore officiellement avec Rupert Finch indique de la part du jeune prince une confiance, voire une arrogance, qu'elle ne tient certainement pas à encourager.

Pour elle, avant d'être l'héritier de la couronne, il est tout simplement William, un étudiant dont l'amitié et l'affection l'ont aidée à combattre la solitude éprouvée depuis son arrivée à St Andrews. Et il faut tout faire pour que, si les choses doivent évoluer entre eux, la qualité de cette relation soit préservée. Elle sait sans doute dès ce moment-là que cela va prendre du temps.

4

Une rose dans la tempête

C'est l'une des conditions qu'il a imposées pour rester à St Andrews : à l'automne 2002, William quitte l'internat universitaire et emménage dans une petite maison du centre de la bourgade au 13, Hope Street, tout près de la fac. Un luxe dont aucune personnalité royale avant lui n'avait jamais bénéficié. Les lieux ont bien sûr été passés au peigne fin par les services de sécurité britanniques, les fenêtres sont à l'épreuve des balles et équipées de volets spéciaux, la porte d'entrée peut résister aux bombes et l'ensemble du bâtiment bénéficie d'un système d'alarme vidéo dernier cri. Pour le reste, la maison ressemble à n'importe quelle autre de St Andrews, et le jeune prince peut y adopter le mode de vie d'un étudiant anonyme.

Sa chambre, située entre la cuisine et le séjour, est la plus spacieuse de toutes. Les autres sont occupées par les trois colocataires qu'il a choisis : Fergus Boyd, son meilleur ami de l'époque, rencontré à Eton, Olivia Bleasdale, amie de Natasha Rufus Isaac, fille du marquis de Reading et amie intime de Wills, et Kate.

Cette dernière possède sa propre chambre à l'étage. Bien que vivant ensemble, les deux tourtereaux ont décidé de tout faire pour garder leur histoire secrète, loin des rumeurs estudiantines et des paparazzi. Dans la journée, la jeune femme gère ses activités de manière indépendante. La vie associative est l'une des traditions les plus inamovibles des universités anglaises; Kate est l'une des cofondatrices les plus actives du Lumsden Club, un groupe féminin qui s'est donné pour but l'organisation de soirées payantes à but caritatif dans lequel on trouve, notamment, lady Virginia Fraser, fille de lord Strahalmond et petite-fille du magnat du pétrole écossais James Frazer, et Leonora Gummer, fille du député ultraconservateur John Gummer.

Le soir, Kate et William se retrouvent dès qu'ils le peuvent. Ils dînent aussi souvent que possible de plats livrés à la maison, se risquent rarement ensemble dans les pubs, mais un peu plus souvent chez Ma Belle's. Ce restaurant, point de ralliement des étudiants, sert des cocktails sophistiqués le soir et, le matin, un brunch idéal contre la gueule de bois, selon Kate.

Mais garder leur romance secrète se révèle vite plus facile à dire qu'à faire. Doté de hauts plafonds et d'une grande pièce centrale idéale pour se réunir, et avec l'héritier de la couronne pour locataire, le

13, Hope Street devient en effet rapidement l'adresse la plus branchée de la petite bourgade. Des fêtes sont bientôt organisées presque toutes les fins de semaine. Les garçons font les courses, les filles la cuisine, et l'alcool fait le reste, en particulier le Jack Daniels, dont William garde toujours une bouteille à portée de main. Pour les grandes occasions, l'une des meilleures amies de Kate, Katherine Munsey, fait venir spécialement de Londres des couverts en argent.

En fin de soirée, l'un des jeux préférés des fêtards est le *I've Never*, que l'on pourrait traduire par «Je n'ai jamais»: un membre du cercle doit dire quelque chose qu'il n'a jamais fait – par exemple, «je ne me suis jamais déshabillé dans la rue» –, et chacun répète la phrase jusqu'à ce que l'un des participants ne puisse le dire parce qu'il s'est effectivement déshabillé dans la rue. C'est le perdant et, en gage, il doit boire son verre d'un trait. Dans son livre, Katie Nicholl raconte comment, un soir, alors que l'ex-petite amie de William, Carley, est présente, le jeu est lancé. Quand vient son tour, la jeune fille lance «je ne suis jamais sortie avec deux personnes présentes dans cette pièce» et l'ambiance se fait aussitôt électrique. Bien que nul n'en parle, tout le monde sait que William et Kate sont ensemble. L'héritier de la couronne est le seul de l'assemblée à être bel et bien sorti avec deux personnes présentes dans la pièce. Furieux de voir leur secret éventé, le prince boit son verre d'un trait. «C'est incroyable que tu aies dit une chose pareille», murmure-t-il entre ses dents; Kate, pour sa part, n'adresse plus la parole à Carley de toute la soirée.

S'afficher en public ou non va devenir une question de plus en plus délicate à mesure que l'amour des deux jeunes gens devient plus sérieux. En 2003, lors de la fête lancée pour les vingt et un ans de Kate à Bucklebury, dans la maison familiale de la jeune femme, la nature de leur relation est à ce point évidente que le père de Kate, Michael, s'en amuse avec un journaliste, sans pour autant confirmer quoi que ce soit: «Nous sommes très amusés de la rumeur qui fait de nous les futurs beaux-parents du prince William», dit-il, avant d'ajouter ce démenti: «Mais je ne crois pas que ça va se produire.»

Quelque temps plus tard cependant, pour l'anniversaire de William au palais St James, alors que Kate est présente, ce n'est pas elle qui tient la place d'honneur au côté du futur prince de Galles, mais une ravissante jeune femme blonde aux yeux bleus, Jecca Craig. Aussitôt, les tabloïds s'enflamment.

Jecca et le prince se sont rencontrés en 1998 à Lewa Downs, chez le député conservateur kényan Ian Craig où, après la mort de Diana, Charles avait envoyé ses deux fils et où, en 2010, William fera à Kate sa demande officielle en mariage. En 2003, les rumeurs de flirt poussé entre les deux jeunes gens alimentent les journaux depuis déjà cinq ans. Elles sont si insistantes que William les a démenties fermement: «Il y a toujours beaucoup de rumeurs autour de chacune des filles avec lesquelles on a pu me voir, et je trouve cela franchement irritant, au bout d'un moment, déclare-t-il, d'autant plus que cela finit par leur porter préjudice.» Un préjudice d'autant plus fort, en l'occurrence, que le petit ami officiel de Jecca à cette époque n'est autre qu'Henry Ropner, ancien élève du collège d'Eton et ami de William. Mais à l'occasion des vingt et un ans du prince, la curiosité des médias bat son plein. «Si je suis attiré par une fille et si je l'intéresse, ce qui est rare, je l'invite à sortir, explique-t-il dans l'interview qu'il donne à cette occasion. Mais en même temps, j'essaie de ne pas la mettre dans une situation difficile. Parce que, pour la plupart, les gens ne comprennent pas ce qu'entraîne le fait de me connaître et de me fréquenter. Et lorsqu'il s'agit d'une petite amie, elle n'imagine pas l'excitation que cela va entraîner dans les médias.»

Il est probable, en réalité, que la raison de la présence de Jecca à la table d'honneur lors de l'anniversaire du prince ne soit qu'une question de préséance : Jecca est de longue date une amie de la famille, tandis que Kate, elle, n'est encore que l'objet de rumeurs insistantes. C'est aussi, très certainement, une manifestation du désir de William d'épargner Kate et de préserver son couple des paparazzi. Toutefois il découvre à cette occasion que l'on n'échappe pas si facilement à la presse *people* : les journalistes qui les voient séparés substituent aussitôt à la rumeur de

leur idylle une série de ragots concernant leur sup-
posée rupture.

À la rentrée suivante, ils quittent Hope Street
pour un lieu plus tranquille : Balgove House, un
appartement de luxe de quatre pièces dans le complexe hôtelier de Strathtyrum, situé aux environs
de St Andrews, et dont le propriétaire se trouve être
un lointain cousin de William. Là, un haut mur de
pierre protège des regards le parc de plusieurs hectares qui entoure leur résidence, et le couple jouit
provisoirement d'une telle paix que William peut
comparer le lieu à Highgrove. Ils ont même l'autorisation de chasser le gibier et tirent les oiseaux
qu'ils font ensuite rôtir et dévorent en amoureux.
Mais cela ne dure pas. Au mois d'avril, durant les
vacances de Pâques, un photographe les surprend
ensemble à la station de ski de Klosters, en Suisse,
l'un des lieux de villégiature traditionnels du clan
Windsor.

«William a une petite amie», titre le tabloïd *The
Sun*. Sa famille est furieuse, mais ses protestations
n'y changent rien : les médias vont désormais se ruer
sur Kate Middleton.

***

Sur la jeune femme, désormais, les détails abon-
dent dans la presse : tout d'abord timide, réservée,
d'un physique presque quelconque, Catherine
Middleton s'est épanouie durant l'automne 2000 lors

d'un séjour à Florence, où elle a vécu quelque temps pour étudier la peinture. « Kate a changé durant ce séjour, se souvient un ami amplement cité par les journalistes. Ses parents sont venus la rejoindre et sa mère en particulier ne tarissait pas d'éloge sur sa transformation. Le soir, à dîner, elle apostrophait les garçons des restaurants : "Voyez un peu ma rose anglaise, n'est-elle pas merveilleuse ?", leur disait-elle. Kate se recroquevillait au bout de la table mais elle savait que c'était vrai. »

Ce n'est pas pour rien que les journaux insistent sur ce genre d'anecdote. Carole, l'arrière-petite-fille de mineur, hôtesse de l'air à la British Airways où elle a rencontré son mari dans les années 1970, n'est-elle pas avide d'ascension sociale ? N'a-t-elle pas « dressé » ses filles dans cette optique ? Dans la même veine, les tabloïds révèlent que Pippa, la sœur de Kate, a eu quelque temps pour *boyfriend* J. J. Jardine Paterson, l'héritier d'une famille de banquiers de Hong-Kong, qu'elle compte parmi ses proches Ted Innes-Kerr, fils du duc de Roxburghe, et George Percy, le fils du duc de Northumberland. La proximité de Carole avec ses filles, son goût prétendu pour le luxe, l'enthousiasme sans fard qu'elle a manifesté, selon tous les témoignages, lorsqu'elle a su que William et sa fille se fréquentaient... Forte de ces bribes d'informations, la presse baptise bientôt les deux filles Middleton d'un surnom pénible : « les Sœurs Glycine », en référence à la force avec laquelle cette plante parasite s'accroche à la pierre d'un mur pour grimper au sommet.

Kate, pour qui la famille est une valeur essentielle, est extraordinairement affectée par ce qu'elle estime être de pures calomnies envers sa mère. Si sa timidité bien réelle en souffre, il s'y ajoute une certaine culpabilité à l'idée que sa vie sentimentale expose sa mère aux ragots les plus bas. Et, comme si cela ne suffisait pas, les rumeurs atteignent le palais St James, où certains courtisans commencent à juger peu convenable l'absence de sang bleu de la jeune femme.

Pourtant, jusqu'à ce que la presse s'en mêle, tout s'est déroulé à merveille entre Kate et le clan Windsor. Elle a découvert Highgrove, a chassé dans la région en compagnie de William, et les deux amoureux ont également passé plusieurs week-ends à Balmoral, avec l'assentiment de la reine. C'est là, caché aux yeux du monde dans le cottage Tam-na-Ghar, vieux de cent vingt ans mais équipé, notamment, d'une gigantesque baignoire pour deux, que William a vraiment découvert la personnalité de la jeune femme. Comme lui, elle aime les longues marches dans la campagne anglaise, les soirées calmes devant la cheminée agrémentées d'une bouteille de vin. Des amis de William, son frère le prince Harry, ou bien Pippa, la sœur de Kate, les rejoignent parfois lors de ces week-ends bucoliques. Tout cela ressemble fort à un premier pas dans la direction d'un adoubement officiel. Un premier pas dont on peut se demander dans quelle mesure les tabloïds et leur cortège de rumeurs ne l'ont pas fait déraper.

**

Comment expliquer autrement en effet la décision de William de passer sans elle l'été 2004 ? Le cursus universitaire fournissait jusque-là un cadre commode qui leur permettait d'éviter de discuter de ce qui se passerait entre eux par la suite, puisqu'ils se retrouvaient mécaniquement d'une année sur l'autre. À présent, à un an de l'obtention de leur diplôme, il leur faut commencer à se poser des questions sur leur avenir commun. Or, la pression médiatique aidant, c'est justement l'instant que choisit William pour marquer le pas. Il passera juillet et août en croisière avec quelques amis, tous masculins, annonce-t-il à Kate. Et, comme une mauvaise nouvelle n'arrive jamais seule, la jeune fille apprend dans la foulée que Guy Pelly, dont elle a une piètre opinion, a organisé la croisière et engagé une équipe de marins exclusivement féminine !

Guy, pense-t-elle, est l'âme damnée du jeune prince. Celui qui, dans leur adolescence, achetait les revues érotiques ; le partenaire, sinon l'organisateur des week-ends arrosés entre potes à Highgrove, le compagnon des pires turpitudes londoniennes. Ne raconte-t-on pas qu'une nuit, au Club K, l'une des principales boîtes de nuit de Londres, les deux garçons ont recouvert de la tête aux pieds l'une de leurs amies de glace au chocolat avant de la lécher ?

Plus sérieux encore : l'annonce de cette croisière est le nouvel épisode d'une série qui, depuis le début du printemps et les premiers échos de leur histoire dans la presse, a vu William s'éloigner d'elle. Pourquoi ? Se pose-t-il des questions ? Voit-il sa petite amie sous un jour nouveau ? Commence-t-il à donner crédit aux allégations des tabloïds sur les motivations de la jeune femme ? Ou bien la pression des médias et celle de la cour le lassent-elles au point qu'il ait besoin de prendre du large ? Les deux à la fois, peut-être. Car Wills partage avec son père la même méfiance instinctive pour la presse et se tient à distance de ceux qui l'alimentent même sans le vouloir, comme on se tient à distance d'un mauvais sort.

Quoi qu'il en soit, au tout début de cet été-là, le prince accepte l'invitation d'une héritière américaine de vingt-deux ans, Anna Sloan, rencontrée par l'intermédiaire d'amis communs, et s'envole seul vers les cent quarante-six hectares de propriété que la famille de la jeune femme possède à Nashville, dans le Tennessee. Rien ne se passe entre les deux jeunes gens mais, pour Kate, l'alerte est sérieuse. Tout comme l'est la présence dans l'entourage de William d'une autre concurrente potentielle, autrement plus rude, Isabella Anstruther-Gough-Calthorpe, vingt et un ans, fille de lady Mary Gaye Curzon, héritière d'une riche famille de banquiers, et top model. Le magazine *Tatler*, bible de l'aristocratie du royaume, a rangé Isabella parmi les filles les plus désirables de la société londonienne. Or, à peine de retour de Nashville, William se rend à Chelsea, dans la maison qu'elle occupe avec ses parents. Puis il part en croisière avec Guy et son équipage féminin...

Kate, désappointée, passe pour sa part deux semaines en Dordogne, où la famille de Fergus Boyd possède une maison. Plusieurs pensionnaires de St Andrews l'accompagnent, dont Olivia Bleasdale, sa colocataire et amie. Tous témoigneront par la suite du désarroi de la jeune femme, qu'elle ne fait d'ailleurs rien pour dissimuler. Ils comprennent, sans qu'elle le dise de manière explicite, que William et elle sont au moins temporairement séparés. Elle n'ose même pas lui envoyer de SMS, constatent-ils.

Et les choses ne s'améliorent pas à l'automne, lors de leur ultime rentrée universitaire. La journaliste Katie Nicholl, qui suit au plus près les aléas de William à cette époque, rapporte que ce dernier se dit en privé claustrophobe à l'idée de passer une nouvelle année à St Andrews, et ne rêve déjà que de l'été suivant, qu'il compte passer au Kenya chez Jecca Craig. Publiée dans la presse tabloïd au conditionnel, la nouvelle de sa séparation d'avec Kate ne reçoit nul démenti officiel. La seule raison pour laquelle elle n'est pas non plus confirmée, semble-t-il, tient au refus de William d'attirer l'attention de la presse.

Pour Kate, la situation est d'autant plus cruelle qu'ils vivent sous le même toit et sous le regard de leurs colocataires. Chaque fin de semaine, pour respirer, la jeune femme rentre chez ses parents.

Cet hiver-là, pourtant, nouveau changement d'humeur : les deux jeunes gens sont vus de nouveau ensemble. Est-ce là un effet du silence relatif de la presse ? D'un statu quo rendu nécessaire par la préparation de leurs examens ? Ou bien est-ce la patience et la détermination de Kate qui ont au bout du compte porté leurs fruits ? On ignore dans quelles conditions le couple a renoué, mais il est certain que la jeune femme a trouvé dans le père de William un véritable allié. Charles, qui s'apprête à épouser Camilla Parker Bowles, semble plus décontracté et heureux qu'il ne l'a jamais été, et fait tout pour que ses fils le soient également. Il a de l'affection pour Kate, au point qu'il n'hésite pas à s'afficher devant les photographes avec elle sur les remonte-pentes de Klosters. De même, l'une des premières réapparitions publiques de la jeune femme auprès de William se fait-elle à Highgrove, lors de la fête organisée par le prince Charles pour son cinquante-sixième anniversaire. Forte de cet appui, la jeune femme a en tout cas posé une condition à William avant de renouer : qu'il cesse de fréquenter Isabella, à qui il a rendu des visites régulières jusqu'au milieu de l'automne. L'héritier de la couronne a accepté.

«Nous sommes tous deux heureux du remariage de notre père avec Camilla et nous leur souhaitons le meilleur pour l'avenir» : tel est le texte du communiqué envoyé à la presse par William et son frère le prince Harry le 9 avril, à l'occasion des noces de Charles et Camilla à l'hôtel de ville de Windsor. La cérémonie, qui réunit sept cents invités, est suivie d'une bénédiction dans la splendide chapelle St George du château de Windsor, puis d'une réception chez Elizabeth II. La modestie relative de ces festivités, comparée à son premier mariage avec Diana Spencer, semble indiquer que le spectre de Lady Di est bel et bien conjuré. Pour lui, tout du moins. Mais peut-être pas pour son fils aîné. Car si le prince Charles montre publiquement qu'il considère Catherine Middleton comme sa future belle-fille, le premier concerné n'a pas l'air tout à fait de cet avis, et tient à le faire savoir. Ainsi, à un journaliste qui lui demande si Kate et lui entendent suivre l'exemple du prince de Galles et se marier à leur tour, William répond, non sans brusquerie : « Écoutez, je n'ai que vingt-deux ans, bon sang. Je suis trop jeune pour ça. Je n'ai pas l'intention de me marier avant d'avoir au moins vingt-huit, ou peut-être trente ans. » Kate lit ces lignes et ne réagit pas. Elle sait sans doute que le contraire n'aurait pour effet que de faire encore un peu plus reculer William.

Le 23 juin, les deux jeunes gens reçoivent publiquement leur diplôme à St Andrews. Camilla et le prince Charles sont présents, tout comme le duc d'Édimbourg et la reine. Pour Kate, en tout cas, cette cérémonie solennelle clôt une période relativement sereine – celle de sa vie d'étudiante – et débouche sur un avenir où rien, sur aucun plan, n'est assuré. C'est la raison pour laquelle elle a attendu ce jour avec autant d'excitation que d'inquiétude. Signe de son trac, quelque temps plus tôt, lors du bal traditionnel de fin d'année, elle a tant bu qu'elle en a presque perdu connaissance et que Fergus Boyd a dû la ramener chez elle. À présent, assise au cinquième rang, vêtue d'une simple jupe noire, d'un chemisier blanc et de chaussures à talons, elle regarde William dans sa toge noire de lauréat s'agenouiller devant le pupitre du président de l'université pour recevoir son diplôme de géographie.

Puis son tour vient. Appelée sur le podium, elle se lève d'un pas décidé pour recevoir, avec les félicitations du doyen, son diplôme d'histoire de l'art. Le vice-président conclut la cérémonie d'un discours bref. «Durant vos années d'études, dit-il, vous vous êtes fait des amis qui vous suivront toute la vie. Certains ont rencontré ici leur mari ou leur femme. La réputation de notre université est d'être le plus grand marieur d'Angleterre [...]. Nous comptons sur vous pour croître et multiplier.» Kate ne peut écouter ces paroles sans frémir. Dans deux semaines, William Wales et elle quitteront pour toujours St Andrews et la maison dans laquelle ils ont vécu ensemble durant trois ans. À ses yeux, l'avenir de leur couple n'a jamais paru plus incertain.

***

Six mois plus tard, par un matin pluvieux de janvier 2006, le prince William, accompagné de son père et de son secrétaire particulier Jamie Lowther-Pinkerton, franchit les portes de l'Académie royale militaire de Sandhurst. Comme tous les officiers aspirants, et comme l'exige la discipline du lieu, Wills apporte avec lui sa propre planche à repasser, son cirage et une unique photo de famille. C'est avec cela qu'il va vivre, sans autorisation de sortie, durant quarante-quatre semaines, sans accès à la moindre goutte d'alcool, ni au moindre vêtement civil.

Fondée en 1947, l'Académie de Sandhurst a pour devise «servir pour commander». C'est l'une des écoles militaires les plus cotées mais aussi les plus austères du pays. Elle est plus exigeante physiquement qu'un centre de formation américain pour Marines, aussi tatillonne sur le respect des traditions que la fac d'Oxford et, contrairement à Saint-Cyr, ne délivre aucun diplôme de culture générale. C'est pourquoi les arrivants doivent tout d'abord être passés par l'une des écoles de l'élite britannique. Ils en sortent officiers de l'armée anglaise, rompus à toutes les techniques de combat, et leur formation est suivie d'un passage en école d'application.

Au mois de mai de l'année précédente, le prince Harry a précédé William à Sandhurst. Les deux fils de Lady Di sont ainsi les premières personnalités royales à rejoindre l'armée britannique depuis le prince. Les deux frères sont depuis toujours intéressés par la chose militaire. En 1998 déjà, pour sa quatrième année au collège d'Eton, lorsque William a dû choisir entre un service civil volontaire à caractère social et l'intégration au sein des cadets de l'établissement sous la houlette du ministère de la Défense britannique, c'est cette deuxième option qu'il a retenue. Il a alors reçu une formation de base dans le maniement des armes à feu de faible calibre, ainsi qu'aux techniques de survie. Puis, en 1999, le président du lycée d'Eton lui a décerné l'épée d'honneur du meilleur cadet militaire de sa promotion. Comme le confirme le prince Charles cette année-là sur CNN au présentateur Larry King, l'armée « est une composante traditionnelle de l'éducation d'un futur roi. Mais je sais que William s'y plie de son propre gré et non parce qu'il y est contraint. » Quelque temps plus tôt, le fils aîné de Charles et Diana a visité en compagnie de son père le QG des troupes d'élite des SAS, à Hereford et, plus tard, assisté avec son frère à une simulation d'opération commando menée par le nouveau corps d'élite de la 16e brigade, dont le prince Charles est le colonel en chef.

***

Un homme a joué un rôle clé dans cette évolution : Mark William Galloway Dyer, membre depuis 1987 du Ier régiment des Welsh Guards – les gardes gallois –, et capitaine depuis 1991. Surnommé

«Captain Charming» par le personnel féminin de St James et champion toutes catégories, dit-on, de la préparation du dry martini, Dyer a été dix-huit mois durant l'amant de Tiggy Legge-Bourke, ce qui l'a naturellement amené à passer du temps en compagnie du prince Charles et de ses enfants. Chaleureux, passionné de sport, doté d'un solide sens de l'humour, l'homme s'est à cette occasion pris de sympathie pour William, et ce dernier a fait de lui, en retour, son nouveau mentor. Il a définitivement quitté St James en 2000 – après un safari en Afrique de l'Est qui a failli mal tourner pour les deux princes –, mais conserve néanmoins une sérieuse influence sur Wills, qu'il conseille quant à son avenir.

Le jeune prince voit certainement en Dyer un moyen d'affirmer un peu plus une indépendance qu'il juge cruciale. Il supporte en effet de moins en moins la tutelle de sa famille sur ses décisions. En avril 2000, un déjeuner au palais de St James a réuni le prince de Galles, l'évêque de Londres, et Andrew Gailey – le mentor de William à Eton –, dans le but de discuter de l'avenir du fils aîné de Charles et Diana. Ce dernier est entré dans une véritable furie sitôt qu'il en a eu vent. Et il a choisi Dyer comme compagnon de voyage pour toute l'année sabbatique qui devait s'écouler entre sa sortie d'Eton et son arrivée à St Andrews.

Par tradition, en effet, les membres de l'élite britannique ont droit, entre le lycée et l'entrée à l'université, à une année *off*, qu'ils passent généralement en voyages et expériences professionnelles diverses. L'été 2000 a ainsi vu le jeune prince, guidé par Dyer, s'enfoncer dans la jungle du Belize, une ancienne colonie britannique d'Amérique centrale. Flanqué de deux gardes du corps et de deux soldats des SAS, William a participé là-bas, quelques jours durant, aux manœuvres des Welsh Guards. C'est là également qu'il a appris les résultats de ses examens scolaires d'Eton ainsi que son avis officiel d'admission à St Andrews. À peine rentré de Belize, le jeune homme s'est envolé pour l'île Rodrigues, à l'est de l'île Maurice, où il a rejoint, sous le pseudonyme de Brian Woods[1], un programme de recherche de la Royal Geographical Society portant sur l'étude des poulpes et l'analyse du plancton local. Il a également suivi sur place une formation de plongée sous-marine. Chaque jour ou presque, on a pu le voir, sa journée achevée, apprendre aux enfants des villages du coin à nager ou à jouer au rugby sur la plage. Il a tout d'abord élu domicile dans un petit pavillon au toit de tôle à trente minutes de la capitale, Port-Mathurin, puis dans une résidence privée située sur l'anse aux Anglais, où sa chambre n'était séparée de celles de ses compagnons que par un rideau de cotonnade aux couleurs vives, et où la seule distraction accessible, en l'absence de téléviseur, de

---

1. Selon le *Mail on Sunday*, 1ᵉʳ octobre 2000.

téléphone et d'ordinateur, était le jeu de fléchettes. «Il ne nous parlait qu'en anglais et nous avions du mal à le comprendre», confièrent plus tard les deux jeunes créoles qui, en charge des lieux, cuisinaient pour le prince et son entourage sans se douter de son identité. «Ce n'est qu'après son départ, une fois que les rumeurs ont fait le tour de l'île, que nous avons réalisé qui il était[1].»

Fin septembre 2000, c'est au Chili que William a atterri, en compagnie de cent dix volontaires de Raleigh International, une organisation caritative chapeautée par le Raleigh Trust, spécialisée dans l'organisation de voyages qui mêlent découverte et humanitaire. Cette fois, l'expédition de dix semaines l'a conduit jusqu'aux confins de la Patagonie, dans le but de mettre en œuvre de vastes projets de préservation de l'environnement et d'amélioration des conditions de vie des populations locales. Il a ainsi participé au réaménagement de bâtiments et de routes praticables, à l'étude détaillée du terrain en vue de l'établissement de nouvelles cartes de la région, au repérage d'espèces rares de cervidés afin de faciliter leur préservation. «Je souhaite faire quelque chose de constructif de mon année sabbatique», avait-il expliqué avant son départ.

***

---

1. *Idem.*

Quatre ans plus tard, en matière d'activités physiques, Sandhurst est infiniment plus intense que tout ce qu'il a connu jusque-là. En général, 15 % des cadets de l'académie abandonnent, vaincus par l'épuisement, au cours des cinq premières semaines d'entraînement, dont on a prévenu le prince qu'elles allaient être « les plus dures de toute sa vie ».

Comment expliquer que William ait fait le choix d'une école aussi dure alors qu'il pouvait se contenter de l'existence dorée d'un rejeton de la couronne ? C'est peut-être en examinant le mode de fonctionnement de Sandhurst que l'on comprend le sens de sa décision, comme, à vrai dire, de la plupart de celles qu'il va prendre par la suite.

Si l'armée était autrefois la voie privilégiée de l'aristocratie pour se distinguer, c'est aujourd'hui le contraire qui est vrai : dans l'effort physique commun, et tout spécialement quand cet effort se répète chaque jour entre les murs d'une garnison coupée de tout contact avec le monde extérieur, les différences sociales s'évanouissent. À Sandhurst, la dureté de l'entraînement, l'interdiction pour les cadets de sortir des murs de l'académie durant leur formation, l'austérité des lieux – les chambres sont des cellules individuelles de trois mètres sur trois où même les posters au mur sont interdits –, l'exigence physique requise enfin, ont pour but de faire en sorte que chaque aspirant soit traité à égalité avec ses camarades. « Tout le monde est jugé au mérite, il n'y a pas d'exception », comme l'explique le major général Ritchie à la presse après que la nouvelle de l'arrivée de William a été rendue publique. Là-bas, la Willsmania n'a plus cours. Seuls comptent l'effort, l'endurance, la détermination, la recherche de l'excellence. Chaque matin, sitôt levé avant l'aube pour subir l'inspection minutieuse de sa chambre, de son uniforme et de son sac, le fils aîné de Charles et Diana n'est plus que «l'aspirant Wales», un jeune soldat presque aussi anonyme qu'il l'a été quatre ans plus tôt sur l'île Rodrigues. Cet entraînement physique de forcené est le prix à payer, semble-t-il, pour l'accession à cette fameuse normalité tant recherchée par le jeune prince.

Mais bien sûr, celui-ci n'est pas le seul à payer. Après les aléas auxquels il l'a soumise à St Andrews, le départ de son amoureux pour l'anonymat derrière les murs d'une caserne n'est pas exactement du goût de Kate. Certes, à l'initiative de William, ils ont auparavant passé des vacances enchanteresses en amoureux à Masaï Lodge, complexe hôtelier de luxe dans les hauteurs du mont Kenya, où Kate a pu faire la connaissance de Jecca Craig. William l'a ensuite emmenée skier à Klosters, lieu de vacances suisse traditionnel des Windsor, où ils ont passé les fêtes de fin d'année et où, sous le regard et les objectifs des journalistes du monde entier, William a manifesté publiquement et sans la moindre retenue son attachement à la jeune femme. Pour la première fois, la demoiselle Middleton est apparue devant les médias comme une épouse potentielle sérieuse.

Mais, Kate le sait d'expérience, la frontière entre la quête de normalité et l'éloignement affectif n'est pas des plus étanches chez William. Et les rumeurs de fiançailles qui ont commencé à circuler, accompagnées des photos de leurs baisers échangés sans retenue à Klosters, ont été laconiquement démenties par Clarence House, le bureau de presse du prince.

**

Cruel paradoxe supplémentaire : plus la jeune femme reçoit de marques de reconnaissance de la part des Windsor, ce qui devrait la rassurer, plus, au contraire, son incertitude et son inquiétude s'accroissent. Car comment interpréter les codes si complexes en usage dans la famille royale ? En mars 2006, par exemple, la voici dans les loges royales aux côtés du prince Charles et de Camilla pour la course hippique de Cheltenham. Ce traitement princier est-il le signe qu'on la considère implicitement à la cour comme la future princesse de Galles, une marque d'affection privée de la part de Charles, ou bien seulement une marque de politesse accordée à la petite amie de Wills ?

Le seul point de comparaison qu'elle ait sous les yeux, celui de Chelsy Davy, la petite amie d'Harry, ne peut que raviver ses interrogations. C'est deux ans plus tôt, en avril 2004, que le frère cadet de William a rencontré Chelsy, lors de son premier voyage à Cape Town, en Afrique du Sud. Originaire du Zimbabwe, fille d'un millionnaire organisateur de safaris, Chelsy est une grande blonde saine, aux yeux bleus, qui cherche à devenir modèle et, en attendant, achève des études d'économie politique et de philosophie à Cape Town. L'amour bien réel qu'Harry lui voue n'est pas sans accrocs, du fait de la distance, de leurs obligations respectives et, aussi, il faut bien le dire, de la personnalité quelque peu excessive du prince qui, pour le grand bonheur des tabloïds, semble aussi peu capable de résister à une fête arrosée qu'aux jolies filles qui s'y trouvent. En dépit de cela, Chelsy est très présente dans l'entourage des Windsor. Lors de son dernier passage à Londres, Kate a cru bien faire en lui proposant un après-midi shopping sur King's Road et s'est sentie offensée quand Chelsy a refusé – apparemment parce que les deux femmes n'ont pas les mêmes goûts. Depuis, elles sont un peu en froid.

Or, le 12 avril 2006, à Sandhurst, pour la remise des galons d'officier de second lieutenant à Harry, en présence de la reine, du duc d'Édimbourg, de Charles et Camilla et bien sûr de William, encore en période d'entraînement, Chelsy, débarquant à Heathrow pour le bal qui suit la cérémonie militaire, reçoit un accueil princier qui va se prolonger durant tout son séjour. Elle est accueillie par des policiers en armes qui la conduisent à la voiture avec chauffeur qui l'attend au bout du terminal. Le soir, au bal, faisant irruption dans une splendide robe turquoise moulante au dos nu, elle devient aussitôt la star d'une soirée organisée dans le gymnase de Sandhurst. Les lieux ont été pour l'occasion métamorphosés : des cloisons sont dressées pour créer plusieurs pièces, un orchestre de jazz assure l'ambiance dans la salle de bal proprement dite, tandis qu'un casino a été installé dans l'une des annexes, et qu'un montage photo de la cérémonie est projeté sur les murs d'une autre. En plus du champagne, qui coule à flots, de la vodka jaillit à volonté d'une sculpture de glace spécialement conçue pour la soirée, tout comme la fontaine de chocolat où les invités peuvent tremper fraises et marshmallows.

Et seule Kate manque à l'appel.

Certes, elle rejoint les deux garçons et Chelsy le lendemain pour continuer la fête au Boujis, la boîte branchée favorite de William, à Kensington. Certes encore, elle s'envole quelques jours plus tard avec son amoureux en direction de l'île Moustique où tous deux vont passer les vacances de Pâques. Mais le fait reste que, contrairement à sa potentielle future belle-sœur, elle n'a pas été conviée à la cérémonie officielle. Mais ne serait-ce pas tout simplement parce que William ne voulait pas voler la vedette à son frère ?

Les spéculations sur une possible annonce officielle des fiançailles de William et Kate vont en effet bon train dans la presse et le pays tout entier. Woolworth a même déjà commencé la fabrication de porcelaines à l'effigie des deux jeunes gens dans la perspective de leurs prochaines noces. Ce qui a sur William un effet prévisible : celui de la douche froide.

Trente ans plus tôt, quand sa mère Diana a été prise d'une ultime hésitation avant d'épouser Charles, ce sont précisément de telles porcelaines fabriquées en prévision des noces qui ont joué le rôle de déclencheur final. « Tu ne peux plus reculer, maintenant », lui aurait dit sa sœur. William a vu l'amour de ses parents détruit par la pression médiatique et sait à quel point, une fois lancée, la machine incontrôlable peut broyer les sentiments les plus nobles. Plus l'issue de son amour pour Kate semble écrite d'avance, plus il se braque.

Maintenant que sont achevées les études de Kate, la question de son statut exact et de son avenir auprès de William se fait plus pressante. Car le problème a des répercussions sur un autre plan encore : celui de l'avenir professionnel de la jeune femme. Quelle que soit la personne qu'il épouse, la trajectoire du prince est toute tracée ; celle de Kate l'est en revanche beaucoup moins. Que va-t-elle faire de sa vie si elle n'épouse pas William ?

Elle n'est d'ailleurs pas la seule à se poser la question. En janvier, elle a emménagé dans l'appartement que ses parents ont acheté pour elle à Londres et commencé de faire circuler son CV dans le milieu des galeries d'art. En attendant, elle développe une ligne de vêtements pour enfants au sein de Party Pieces, la société de ses parents. Pour une jeune femme brillante issue de l'une des universités les plus cotées d'Angleterre, cela ne peut suffire. En novembre, elle entre au service «accessoires» de la marque de prêt-à-porter haut de gamme Jigsaw, dont les propriétaires, John et Belle Robinson, sont des amis proches du prince Charles. C'est dans leur résidence de cinq pièces avec piscine que Kate et William ont passé leurs vacances de Pâques, sur l'île Moustique. Or, depuis qu'enflent les rumeurs de mariage, la presse scrute avec une insistance accrue la vie de Kate, qui semble avoir bénéficié à cette occasion d'un placement de complaisance. D'autant que la jeune femme est autorisée à ne travailler que quatre jours par semaine afin de profiter de longs week-ends avec William. L'opinion s'agace devant ces preuves apparentes de favoritisme. Chez Jigsaw même, certains de ses collègues se rebiffent: à en croire les confidences de Kate elle-même à certains de ses proches, après les séances de photos de mode, c'est à elle qu'échoit la corvée de serpillière.

Ce même mois de novembre, quelques jours avant que William ne reçoive ses galons à Sandhurst, Kate est conviée au traditionnel déjeuner de Noël de la famille royale, qui se tient, un mois avant les fêtes proprement dites, au château de Sandringham, la résidence privée des Windsor, qui s'étend sur trois mille deux cents hectares non loin du village du même nom, dans le Norfolk. C'est la première fois que la petite amie d'une personnalité royale reçoit une telle invitation. Normalement, l'honneur fait à Kate devrait rassurer la jeune femme et confirmer les rumeurs de fiançailles. Mais l'invitation émane-t-elle bien de William ? Là encore, l'ambiguïté règne. Typiquement, Clarence House refuse de confirmer la présence de Kate et se borne à répondre qu'il n'est pas dans les habitudes du prince de discuter des invités royaux.

Le coup de grâce survient un mois plus tard, pour le réveillon du nouvel an que Kate a prévu de passer cette année-là avec sa famille, à Jordanstone House, une maison du XVIIIe siècle que les Middleton possèdent aux environs d'Alyth, en Écosse. William est censé la rejoindre, mais, le 26 décembre, au beau milieu de la nuit, il lui annonce son intention de rester avec les Windsor. Pour Kate, c'en est trop. Persuadée que ce revirement en annonce un autre bien plus définitif, elle fond en larmes. Et son intuition n'est pas fausse. Quelques jours plus tôt, William réunit son père et sa grand-mère, la reine Elizabeth, pour aborder avec eux le « problème » Kate.

5

État de crise

Le 9 janvier 2007, Kate fête ses vingt-cinq ans. Quelques jours plus tôt, à Highgrove, les deux jeunes gens ont célébré comme il se devait le départ de William chez les «Bleus», comme on appelle ce régiment des Royal Horse Guards en raison de leur tunique bleue surmontée d'un plumet rouge. Cette section de l'armée britannique est spéciale-ment chargée d'assurer la protection de la reine et des bâtiments royaux. William y est affecté jusqu'en mars.

Pour Kate, cependant, le cœur n'est pas à la fête. Elle n'a pas surmonté sa déception de Noël et les rumeurs de mariage, plus fortes que jamais, sonnent comme autant de sarcasmes. «La prochaine prin-cesse du peuple», a ainsi titré le *Spectator* quelques jours plus tôt. Dans un article d'un rare cynisme, le journal a vu en Kate une «injection de glamour frais» susceptible de régénérer «le produit leader octogénaire de la marque Windsor», et spéculé sur un mariage princier dans l'année, probablement au printemps. Parce qu'il semble informé, et parce qu'il est signé Patrick Jephson, l'ancien secrétaire privé de Diana, l'article a bénéficié d'une crédibilité imprévue dans l'opinion. À tel point que, ce matin du 9 janvier, lorsque Kate ouvre les yeux, c'est pour découvrir des centaines de photographes massés sous ses fenêtres dans l'attente d'une visite de William et de l'annonce de leurs fiançailles.

Mais l'héritier de la couronne a rejoint la veille la caserne Combermere, à Windsor, où est affecté son régiment. C'est de là qu'il appelle Kate dans la journée du 9, non pour parler mariage, mais pour s'excuser du harcèlement de la presse susceptible de gâcher son anniversaire et, avec cette absence de psychologie dont peuvent faire montre les hommes lorsqu'ils sont en proie à la culpabilité, des rumeurs «infondées» qui circulent à leur sujet. Inutile de le dire, chaque parole de «réconfort» du prince est un coup de poignard supplémentaire pour la jeune femme. Elle a connu plus d'une incertitude depuis leur rencontre, mais, pour la première fois peut-être, elle se sent dépassée par la solitude et un complet sentiment d'impuissance. Indépendamment des sentiments de William à son égard, elle sait à quel point il se méfie de la presse. Chaque rumeur supplémentaire au sujet d'inexistantes fiançailles a pour effet de l'éloigner d'elle un peu plus encore. En plus de la douleur amoureuse, l'ironie de la situation ne peut que la terrasser. Elle est toujours parvenue, jusque-là, à afficher un sourire imperturbable face aux paparazzi. Mais cette fois, lorsqu'elle se décide enfin à sortir de chez elle pour les affronter sur le chemin de Jigsaw, son maquillage cache mal sa pâleur. Elle semble sur le point de s'effondrer.

Pour la première fois, même les proches du couple semblent sceptiques sur leur avenir commun. Après les Bleus, William rejoint le camp de Bovington pour une formation militaire de commandant de tank. L'entraînement, qui va durer deux mois et demi, est clairement aux antipodes de toute préoccupation matrimoniale. Wills fait deux ou trois fois le trajet jusqu'à Londres pour le week-end, mais c'est pour retrouver son frère Harry et quelques amis au Boujis, le bar branché de toutes les perditions. Un soir, pour ne rien arranger, il y rencontre une jolie blonde du nom de Tess Shepherd, et la rumeur qu'ils ont passé une bonne partie de la nuit enlacés sur la piste de danse parvient aux oreilles de Kate.

Humiliation supplémentaire : la presse publie une photo du prince le bras passé autour des épaules et la main posée sur le sein d'une autre jeune femme, une étudiante brésilienne de dix-huit ans, Ana Ferreira. Le cliché a été pris au Poole, un night-club situé aux environs de la base de Bovington. D'autres photos le montrent sur la piste en compagnie d'une troisième fille, Lisa Agar.

C'est alors que Kate, publiquement blessée, va commettre une erreur majeure : celle de lancer un ultimatum au prince. Elle lui enjoint de s'engager auprès d'elle de manière définitive, sous peine de rupture. À l'évidence, sous le coup de l'émotion, elle a mal évalué et sa force et la personnalité de William. Comment l'héritier de la couronne pourrait-il accepter la moindre pression ? Il répond de la seule façon possible : il rompt.

Il est intéressant de noter aujourd'hui, avec le recul, à quel point les photos incriminées à l'époque sont en réalité anodines. Pour l'essentiel, elles évoquent des Polaroid de potaches bien plus que des frasques outrageantes. Dans un tout autre milieu, elles n'auraient eu aucune conséquence. Mais il s'agit de William, il s'agit de la couronne, il s'agit des tabloïds : d'une certaine façon, Kate n'a pas eu d'autre choix que de réagir comme elle l'a fait. En retour, William ne pouvait pas ne pas rompre. Ainsi peut-on dire que, en cet instant de leur histoire, ce que redoutait le fils aîné de Charles et Diana a bel et bien fini par arriver : les médias se sont introduits dans la vie du jeune couple, l'ont exposé aux yeux de tous et, du même coup, l'ont détruit.

**

Pourquoi Wills, qui se méfie tant de la presse et a tout fait depuis le début pour tenir Kate à distance des journalistes, s'est-il ainsi laissé piéger ? Par inexpérience, sans doute, mais aussi parce que même les plus prudents se font avoir par l'incontrôlable machinerie des tabloïds. Mais rappelons également que l'attention du jeune prince est alors accaparée par tout autre chose que la presse et son avenir avec Kate : la guerre.

Sept mois plus tôt, en août 2006, l'Otan a lancé en Afghanistan l'opération « Méduse », vaste offensive menée à l'ouest de Kandahar par des troupes occidentales composées pour l'essentiel de soldats américains et anglais. Les combats ont fait plus de trois mille morts de part et d'autre. Un autre théâtre d'opérations militaires anglo-américain est l'Irak où, depuis la pendaison de Saddam Hussein à Bagdad le 30 décembre 2006, la situation est exceptionnellement instable. Or, William et Harry, tous deux frais sortis de Sandhurst, sont aussi décidés l'un que l'autre à aller jouer les héros sur le terrain. On peut même dire que les deux princes se livrent à ce sujet à une véritable compétition fraternelle. Et l'enjeu est de taille.

Des deux, c'est Harry, le cadet, qui est longtemps passé pour le plus fêtard et le moins responsable. Bien qu'aimant profondément son frère, il a plus ou moins vécu dans son ombre, et ses seuls hauts faits jusqu'à présent ont moins à voir avec les affaires de la couronne qu'avec le night-clubbing. Les paparazzi l'ont surpris ivre, dansant avec deux stripteaseuses, ce qui a bien sûr fait enrager Chelsy. La presse, qui s'est longtemps délectée de ses frasques, l'a surnommé *Dirty Harry*, en référence au héros éponyme incarné au cinéma par Clint Eastwood. Or, Sandhurst, qu'il a intégrée en 2006, plusieurs mois avant William, lui donne, peut-être pour la première fois de son existence, la chance de se distinguer autrement. Les Windsor considèrent en tout cas l'académie militaire comme la meilleure chose qui lui soit arrivée, et lui-même s'y est jeté corps et âme. Les résultats sont d'ailleurs à la hauteur. Harry a effectué en un temps record une course de vingt-six heures dans le parc national des Black Mountains au pays de Galles – qui culmine à plus de huit cents mètres d'altitude –, et obtenu les meilleurs scores durant un entraînement intensif à Chypre. À présent officier, âgé de vingt et un ans, il est déterminé à monter au front. « Il est hors de question que je sois passé par un tel entraînement pour retourner m'asseoir tranquillement à la maison pendant que mes hommes vont se battre pour leur pays », déclare-t-il à la presse.

À la sortie de Sandhurst, la rumeur d'une prochaine affectation d'Harry en Afghanistan a trouvé des échos jusqu'au ministère de la Défense, où le chef de l'état-major sir Richard Dannatt est chargé de prendre la décision finale. Ce n'est pas simple. D'un côté, en effet, il y a l'enjeu politique, incarné par le désir obstiné d'Harry, prêt à rendre ses galons s'il n'est pas envoyé au combat. Il y a le souvenir du prince Andrew, le frère de Charles, le dernier Windsor à avoir connu le front lors de la guerre des Malouines et à avoir exprimé des vues similaires : « Si je n'étais pas parti, avait-il déclaré à son retour, ma position au sein de la Navy aurait été intenable. »

Il y a l'idée que l'État anglais dépensant des centaines de milliers de livres sterling pour la formation des jeunes princes sans le moindre résultat concret n'est tout simplement pas envisageable. Elizabeth II elle-même voit, dit-on, dans le choix de carrière de ses petits-fils une source de fierté en même temps qu'une façon de restaurer les liens de confiance et d'estime entre l'opinion et la famille régnante. Mais il y a la réalité du conflit. Sur le terrain, les talibans ont eu vent de la possible arrivée du prince Harry, passent déjà le message sur leurs sites Internet islamistes et offrent des récompenses pour sa capture et son exécution. Comment garantir la sécurité d'un tel personnage sur le terrain sans risquer la vie d'autres soldats ?

On croit la question réglée lorsque, le 21 février 2007, le cadet Harry Wales reçoit son ordre d'affectation effectif : pour six mois au sein de l'escadron A de la cavalerie royale basée non à Kandahar, mais en Irak, où la logistique paraît plus simple à maîtriser. Il y commandera « douze hommes, répartis par trois dans quatre blindés armés de reconnaissance », précise le communiqué de Clarence House.

Or, quelques jours plus tôt, en Irak, Abu Mutjaba, l'un des chef locaux de l'armée du Mahdi, la milice chiite, fait au *Guardian* une déclaration incendiaire : « L'un de nos objectifs est de capturer Harry. Nous avons des sources à l'intérieur des bases anglaises qui nous préviendront de son arrivée. » Richard Dannat prend immédiatement la décision d'annuler l'ordre de mission du prince. Aussitôt, un groupe politique anglais antimonarchiste, Republic, dénonce « la scandaleuse gabegie d'argent public » dépensé dans les formations de William et Harry à Sandhurst. De son côté, pour ne rien arranger, ce dernier, en proie à un sentiment profond d'incompréhension et de colère, part noyer sa rébellion dans l'alcool de ses night-clubs favoris et dans le décolleté des serveuses. « Il était très direct, il n'a pas fait mention d'une quelconque petite amie et n'a sûrement pas agi comme s'il en avait une », témoignera l'une d'entre elles, une jeune et jolie fille de vingt-deux ans répondant au nom improbable de Cherie Cymbalisty, et dont la photo s'étale bientôt à la une des tabloïds.

Lui-même encore en plein entraînement à Sandhurst, William est bien sûr directement concerné. Si la perspective d'envoyer au front son frère génère tant de problèmes sécuritaires et de polémiques, qu'en sera-t-il lorsque viendra son tour, lui qui est le numéro deux dans l'ordre de succession à la couronne ?

***

Comme si ces problèmes n'étaient pas suffisants, William affronte parallèlement un autre défi : celui de l'organisation du concert en mémoire de Diana, pour les dix ans de sa mort, événement mondial qui doit se tenir au stade de Wembley au mois de juin de la même année. Les droits sur la propriété intellectuelle des œuvres de la princesse, gérés jusque-là par le Memorial Fund de Diana, sont désormais entre les mains du jeune prince. Le temps a passé, l'étoile de la Princesse des cœurs a pâli, l'oubli gagne du terrain. L'événement commémoratif offre à William et à son frère l'occasion de faire revivre le souvenir de leur mère, mais aussi d'en faire profiter l'ensemble de la famille régnante. Pour la première fois peut-être depuis la mort de Lady Di, et depuis la série de scandales émaillant la vie de leurs parents qui a mis en péril la réputation du clan, les deux princes peuvent envisager de réconcilier, à travers eux, le nom des Windsor et celui de Diana Spencer. Ce concert sera, pour eux, leur projet le plus ambitieux et l'occasion d'apparaître ensemble au premier plan.

William fêtera par ailleurs quasiment en même temps son vingt-cinquième anniversaire. Lui et son frère seront alors en droit de toucher les intérêts des douze millions de livres sterling constituant l'héritage de leur mère, le capital restant bloqué jusqu'aux trente ans de l'aîné.

Le concert doit réunir vingt-trois artistes, dont Elton John, ami intime de Diana, Duran Duran, groupe sur la musique duquel la princesse a dansé lors du Band Aid vingt-deux ans plus tôt, mais aussi Tom Jones, Rod Stewart, Supertramp, Lily Allen, et d'autres. La BBC en assurera la retransmission planétaire.

William, qui a demandé une permission spéciale à son régiment de Bovington pour se charger personnellement du moindre détail, assure la présidence des réunions de travail destinées à préparer l'événement. Celles-ci sont organisées non à Buckingham, mais au bureau de presse des deux frères, à Clarence House. Outre sir Malcolm Ross, qui a coordonné le jubilé d'or de la reine cinq ans plus tôt, elles rassemblent une brochette de figures clés issues de l'industrie du spectacle et de la presse, parmi lesquelles Nicholas Coleridge de Condé Nast, le patron de Universal Music, Lucian Grainge, et le directeur du National Theatre, Nicholas Hytner. Le prince Charles, pourtant le premier concerné, est significativement absent, au motif que, selon William, il ignore tout de la culture contemporaine, au point de ne pas savoir prononcer le nom de Beyoncé. Son absence signifie clairement que l'événement signera rien de moins que la prise du pouvoir par William.

« Il arrivait aux réunions totalement informé et prêt à l'action, se souvient l'un des conseillers de la maison royale qui y assistait. Il était très habile, ce qui ne m'a pas vraiment surpris, et incroyablement compétent. S'il y avait un point qu'il voulait développer avec l'un de nous, il suspendait la réunion, remerciait tout le monde avant de demander à la personne concernée de rester dans la pièce[1]. »

---

1. Cité par Katie Nicholl, *op. cit.*

À l'approche du concert, Wills et son jeune frère décident de donner leur première interview télévisée commune sans leur père. L'événement prend rapidement une portée internationale. Aux États-Unis, NBC en assure la retransmission exclusive pour une somme qui avoisinerait les 2,5 millions de dollars. L'opération se révèle un succès en termes de communication. Assis dans l'un des salons de Clarence House sur un sofa blanc crème, en pantalon de coton et le col de chemise ouvert, les deux fils de Diana apparaissent sûrs d'eux et décontractés, et parlent pour la première fois ouvertement du choc éprouvé à la mort de leur mère.

« Pour moi, personnellement, dit Harry, ce qui s'est produit cette nuit-là... personne ne le saura jamais. [...] Je ne cesserai jamais de me poser la question. »

« Tout de suite après l'événement, renchérit William, nous y pensions constamment. Et aujourd'hui encore, pas un jour ne se passe sans que j'y pense au moins une fois... Ça a été très lent, pour nous... Ça a été très long. »

Inévitable, la question de la normalité est posée. « Nous savons que nous avons certaines responsabilités, répond Harry, manifestement pour les deux. Mais pour ce qui concerne notre vie privée, [...] nous voulons être aussi normaux que possible. Oui, c'est difficile, parce que, d'une certaine manière, nous ne serons jamais normaux. »

S'il n'avait pas été prince, révèle William, qui donne ici une première indication de sa décision à venir, il aurait adoré devenir «pilote d'hélicoptère travaillant pour les Nations unies».

Enfin, une question est posée à propos de Catherine Middleton. Non moins significativement, William élude.

***

Concernant Kate elle-même, il est difficile de déterminer avec précision son état d'esprit durant le premier semestre 2007. Il est plus que probable qu'elle passe par des phases de réel désespoir. D'autant que, même si William est accaparé par son entraînement, par son désir d'être envoyé au front et par la préparation du concert en mémoire de sa mère, il trouve néanmoins le temps de faire la fête dans les bars branchés de Londres, dont les échos parviennent aux oreilles de la jeune femme. Les deux amoureux ont rompu, c'est en tout cas ce que rapporte leur entourage. C'est à cette époque que l'on voit le prince, exultant, crier: «Je suis libre!» debout sur une table du Mahiki, un bar kitsch et exotique de deux étages du quartier de Mayfair, devenu l'un de ses favoris.

Mais Kate décide de ne pas se laisser aller. Sur les conseils de sa mère, semble-t-il, elle adopte une attitude délibérément inverse de celle à laquelle s'attend l'opinion. Elle chausse ses bottes de cuir les plus hautes et les plus sexy, enfile sa minijupe la plus provocante et part à la conquête des fêtes les plus courues de Londres, où elle sait qu'elle croisera à coup sûr sinon William lui-même, du moins son entourage.

Elle n'y compte pourtant pas que des amis. Il s'en faut même de beaucoup. La presse – informée par qui ? – se fait rapidement l'écho d'une phrase qui circule depuis un moment déjà au sujet de Kate parmi les habitués du Boujis, du K-Bar et du Mahiki, donc l'entourage du prince, sitôt qu'elle pénètre dans l'un de ces lieux branchés : « Tiens, voilà "Ouverture des portes". » Il s'agit d'une référence à sa mère Carole et à la procédure d'atterrissage des avions : « Attention à l'ouverture des portes[1]. » En d'autres termes : comment l'héritier de la couronne peut-il s'abaisser à fréquenter la fille d'une ancienne employée de la British Airways ?

Eh bien, la fille en question a décidé de les prendre au mot. Supersexy, ultraélégante et le sourire aux lèvres, ce sont, en fait de portes, toutes celles des nuits branchées de la capitale britannique qu'elle force avec sa sœur Pippa, embauchée pour l'occasion, sous l'œil avide des paparazzi. Car il s'agit que William n'ignore rien de ce qu'elle fait, qu'il la voie en pleine forme, désirable et désirée par tous, et capable de s'amuser seule.

---

1. « Doors to manual », le surnom donné à Kate lorsqu'elle poussait la porte de l'un des bars en question, passe mieux en anglais. La phrase exacte en usage dans les compagnies aériennes britanniques étant : « *Cabin crew, doors to manual and cross check.* » (*N.d.É.*)

Elle décide également de se lancer dans un projet personnel. Ce sera la Sisterhood, un groupe de vingt et une filles qui prévoient de rejoindre le cap Gris-Nez depuis Douvres en bateau-dragon, le produit du voyage finançant des causes humanitaires. Originaire de la Chine ancienne, d'où son nom, le bateau-dragon est une sorte de vaste pirogue tenant du radeau, suffisamment grand – la coque seule mesure 12,50 mètres – pour contenir une vingtaine de rameurs. L'entraînement nécessaire à cette expédition, sur la rivière Chiswick, commence à 6 h 30 le matin pour s'achever tard le soir et comprend des séances de musculation. Kate, apparemment douée, passe rapidement de simple rameuse au poste de barreuse. Malheureusement, attirés comme ils le sont par ses nuits folles, les paparazzi ont vite vent du projet et débarquent lors de l'entraînement. Très peu de temps après, une photo de Kate en plein exercice se retrouve en une de *Hello!*

Malheureusement? «N'y a-t-il que moi pour être déconcerté par cette jeune femme qui, après avoir trépigné et tempêté tant et plus contre l'attention de la presse à son égard, et contre les spéculations des médias sur son avenir de princesse, semble maintenant en quête de publicité?», s'interroge l'éditorialiste du *Daily Mirror* à la vue de ces clichés. Il est difficile en effet de ne pas se poser la question. Est-ce un hasard si Kate a si vite été promue à la barre du bateau-dragon? N'est-ce pas un peu plus tôt, durant ce même printemps 2007, qu'ont circulé, à la gêne manifeste du Palais, les clichés de la demoiselle Middleton en rollers s'étalant de tout son long sur la piste d'un night-club ? L'attitude de la jeune femme à cette époque semble être de vouloir faire parler d'elle de la manière la moins aristocratique et la plus provocante qui soit.

Pourquoi ? La réponse est moins évidente qu'il ne semble. Certes, il y a le message lancé à William. Mais le jeu est risqué. Le prince Charles a pour elle de l'affection et l'on dit que le duc d'Édimbourg, apprenant la rupture du couple, lui a envoyé un mot de soutien lui enjoignant de tenir bon. Comment imaginer qu'ils resteront de son côté si elle continue de s'exhiber dans les tabloïds de manière aussi tapageuse et « commune » ? En écumant les nuits branchées, en s'affichant dans les magazines, elle renforce inévitablement ceux qui, à la cour, n'ont pas de mots assez méprisants pour cette fille de la *middle class*. Et pourtant, cette stratégie traduit peut-être une véritable intelligence politique et un esprit plus subtil et calculateur qu'il ne semble. Les rumeurs de mariage sont allées trop loin. Aux yeux de l'opinion, William s'est pour ainsi dire trop engagé auprès de la demoiselle Middleton pour reculer. L'exhibition dans la presse ne rappelle-t-elle pas aux Windsor le risque que leur fait courir une femme entourée d'une publicité incontrôlable ? Comme l'écrit alors le *Daily Mail* : « Clarence House, le bureau de presse du prince, a observé avec un malaise grandissant la façon dont l'entraînement de la Sisterhood est devenu un pôle d'attraction pour les journalistes.» Enfin, le prince réalise surtout à quel point Kate lui manque, comme il lui sera difficile de trouver une autre compagne qui réunisse autant de qualités qu'il apprécie : la discrétion, l'équilibre, la beauté, alliés à une vraie solidité de caractère.

Courant juin, William invite la jeune femme à un bal costumé organisé dans les baraquements de la caserne de Bovington. L'armée étant ce qu'elle est, les déguisements de la soirée se veulent plus ou moins grivois – des poupées gonflables sont suspendues au plafond – et Kate y débarque déguisée en infirmière largement décolletée. William, si l'on en croit les témoins, la suit littéralement à la trace. Ils dansent ensemble plusieurs heures, on les voit s'embrasser. Puis il l'emmène dans ses quartiers où ils passent la nuit. À la fin du mois, le Palais rend officielle la nouvelle de leurs retrouvailles.

***

Le 1ᵉʳ juillet, devant un écran géant affichant une énorme lettre D, Elton John monte sur scène pour présenter William et Harry aux soixante-trois mille spectateurs du stade de Wembley, qui les accueillent par un tonnerre d'applaudissements. Très rock star, Harry hurle un «hello, Wembley!» dans le micro. Puis, tandis qu'Elton John s'assied au piano, les deux frères prennent place dans les loges royales, entourés des princesses Eugenie et Beatrice, de Kitty, Eliza et Katya Amelia, leurs cousines germaines, les trois filles du comte Spencer. Chelsy se tient à la droite d'Harry tandis que Kate, toute de blanc vêtue, est assise deux rangs derrière William. Elle a passé la journée avec lui, à Clarence House, où les deux amoureux ont veillé aux derniers préparatifs du concert.

Le million de livres sterling généré par l'événement est aussitôt reversé à des associations humanitaires. Puis, le 31 août, jour anniversaire de la mort de Diana, un office est célébré par le révérend Richard Chartres, évêque de Londres, à la chapelle des Gardes de la caserne de Wellington, tout près de Buckingham Palace sur le balcon duquel, près de trente ans auparavant, en juillet 1981, la toute nouvelle princesse de Galles et son époux s'embrassaient devant une foule en délire.

William lit un extrait de la Lettre de saint Paul apôtre aux Éphésiens. Une fois sa lecture achevée, il vient prendre place au premier rang et au côté de la reine Elizabeth, devant les cinq cents invités parmi lesquels on compte plusieurs anciens membres du personnel de Diana, de nombreux représentants des organismes humanitaires qu'elle a soutenus ou parrainés, plusieurs figures politiques internationales, des stars du show-business, et même la fille de Mohamed al-Fayed, Camilla. L'autre Camilla, la compagne du prince Charles, est quant à elle absente pour des raisons de bienséance. C'est à Harry que revient le privilège de prononcer l'élégie funèbre. Le discours est simple, direct, émouvant. « Elle sera à jamais célébrée pour son action publique. Mais au-delà de l'éclat médiatique, pour nous, ses deux enfants aimants, elle était tout simplement la meilleure mère du monde, dit-il, avant d'ajouter, d'une voix brisée par l'émotion : Elle nous manque. Pour le dire simplement, elle nous a rendus heureux, nous et tant d'autres autour de nous. Que cela soit la façon dont nous nous souvenons d'elle. »

Une fois son discours achevé, le prince traverse l'église pour rejoindre le banc où sont assis les Spencer. Dix ans plus tôt, lors des funérailles de la princesse de Galles, le comte Spencer s'était livré dans son discours à une attaque à peine voilée contre les Windsor. Aujourd'hui, les deux familles se retrouvent à nouveau réunies. Et cette seule image en dit long sur la portée de l'événement. William et son frère ont gagné leur pari. En honorant la mémoire de leur mère et en se mettant ainsi en avant, ils viennent d'ouvrir pour les Windsor une nouvelle ère. Celle de la réconciliation.

6

Le moment tant attendu

Elle avait bien plus souffert de la séparation qu'elle n'était prête à le montrer à la presse. Et il y avait dans sa douleur autre chose qu'une simple ambition mise en péril ou qu'une humiliation publique. Il y avait l'amour. William était, comme elle n'hésitait pas à le confier à ses quelques amies intimes, «l'homme de [sa] vie». Mais pouvait-elle avoir une vie avec lui ? C'était une tout autre question. Son avenir tant personnel que professionnel était suspendu à un mariage incertain ; quant au passé, les six années écoulées n'étaient qu'une succession de bonheurs, suivis de déceptions, de serments auxquels succédaient autant d'atermoiements, le tout rendu plus dramatique encore par la pression médiatique. Elle avait le sentiment de comprendre les difficultés inhérentes au statut de prince. Mais elle connaissait suffisamment William pour savoir que, à côté de ce statut, le jeune homme intelligent, vif et énergique était aussi farouchement soucieux de sa liberté. Elle l'aimait, oui, mais n'était nullement décidée à poursuivre de cette manière.

C'est à la toute fin de ce même été 2007, sur Desroches, aux Seychelles, où William a loué pour les vacances l'un des bungalows de luxe du seul hôtel cinq étoiles de l'île, qu'elle se résout à l'explication franche et définitive qu'ils redoutent probablement autant l'un que l'autre.

Ils se retrouvent là, seuls pour la première fois depuis leur rupture au début de l'année. Seuls et à l'abri des caméras. Longue d'à peine cinq kilomètres, peuplée de cinquante habitants, l'île Desroches n'est pas seulement un petit paradis terrestre, c'est aussi le lieu idéal où fuir les paparazzi. Pour plus de précautions, la réservation a été faite aux noms de Martin et Rosemary Middleton. Le lieu parfait pour se parler, mais aussi le pire si les choses tournent mal.

Bronzés, détendus, ils passent les premiers jours à faire de la plongée sous-marine dans les coraux, du kayak, des plongeons dans la piscine avant le petit déjeuner.

Elle attend le soir où, elle le sait, il va se décider à parler enfin. À lui dire qu'il l'aime et qu'elle est la seule femme qui compte dans sa vie. Ils sont au bord de la piscine. La lune, à Desroches, est si vive à cette époque de l'année que l'on y voit au milieu de la nuit presque comme en plein jour. Une légère ombre couvre à peine le visage de William tandis que, pour la première fois, il aborde la question de l'avenir.

Les mésaventures de son père ont certainement joué un rôle dans sa peur de s'engager. Mais il sait qu'il va perdre Kate s'il ne se décide pas à lui donner d'une façon ou d'une autre une garantie quant au futur. Le mariage n'est pas décidé ce soir-là, non. William n'est pas prêt, dit-il. Mais, comme les proches des deux amoureux le confieront par la suite, Wills et Kate passent une sorte de pacte[1].

William jure engagement et fidélité. Kate, de son côté, accepte de l'attendre.

Elle sait, elle n'en est même que trop consciente, que le problème, à ce stade, est la carrière militaire du jeune prince. Leur mariage est, en termes de planification, un événement plus important encore que le concert en mémoire de Diana, qui nécessita de la part du prince une énergie considérable. Or William doit passer les six prochains mois entre la RAF et la Royal Navy. Il doit recevoir en septembre ses galons de commandant de troupe, ce qui aura pour effet de le rendre opérationnel et prêt à être appelé sur le terrain. L'héritier de la couronne ne peut certes pas espérer se voir affecté en Afghanistan, malgré son désir de combattre. «La dernière chose que je voudrais, c'est être chouchouté à l'arrière pendant que mes hommes vont se battre, a-t-il fait savoir

---

1. Cité par Katie Nicholl.

publiquement. Ce serait pour moi la chose la plus humiliante du monde et je ne sais pas si je la supporterais.» Et il est revenu sur le sujet lors de l'entretien donné conjointement avec son frère à NBC avant le concert à la mémoire de sa mère : «À quoi servirait mon entraînement et ma présence auprès de mes hommes si j'avais le choix de me tourner vers quelqu'un au dernier moment pour dire : "Non, finalement, je suis quelqu'un de bien trop important pour aller me battre" ? »

Mais le problème posé plus tôt par Harry n'est pas résolu, loin s'en faut. Au début de l'automne, lorsque son escadron est finalement déployé dans les plaines d'Afghanistan, William est contraint de rester à l'arrière et se découvre alors dans l'inconfortable situation de devoir se dédire. Il fait bonne figure – «il y a de bonnes raisons pour lesquelles je n'ai pas été autorisé à partir», déclare-t-il à la presse –, mais la déception et la honte sont cuisantes, d'autant que les polémiques repartent de plus belle. Il ne peut s'en tenir là.

Aussi, en janvier 2008, est-ce avec une énorme impatience qu'il débarque à Cranwell, l'académie militaire de la RAF, dans le Lincolnshire. Il vient de passer les fêtes du nouvel an à Balmoral en compagnie de Kate. La base se trouve à cinq miles de la première bourgade, Sleaford. Aucun des deux jeunes gens ne sait combien de temps va s'écouler avant qu'ils ne se revoient.

***

L'histoire du centre d'entraînement aérien de Cranwell se confond pratiquement avec celle de l'aviation : l'école a vu le jour le 1er avril 1916, deux ans avant la création de la Royal Air Force, dont elle est très rapidement devenue la porte d'entrée exclusive. La base possède ses propres équipements, qui vont de la piscine aux salles de gymnastique, des pistes d'atterrissage aux dortoirs. York House, celui où William est appelé à résider, a été nommé en hommage à son arrière-grand-père, le prince Albert, duc d'York devenu George VI, qui a commandé un escadron à Cranwell en 1918. La chambre du jeune prince est spartiate : un carré de quatre mètres sur quatre, équipé d'un lit d'une place, d'une penderie et d'une petite salle de bains.

Ses journées commencent à 8 heures et s'achèvent à 17 heures. Il passe ses soirées à réviser ce qu'on lui enseigne dans la journée. L'entraînement de base, à l'origine d'une durée de deux ans passée à trois dans les années 1950, est l'un des plus exigeants qui soient. Et il demande à William une attention de tous les instants. Difficulté supplémentaire : William est myope, et le recrutement au sein de la RAF implique d'avoir une vision sans faille. Il a contourné l'obstacle en faisant valoir ses états de service au sein de la cavalerie et en acceptant de porter des lunettes spécialement prescrites à son intention, mais le handicap ne rend pas l'apprentissage moins fatigant, ni moins difficile.

Il effectue classiquement son premier vol en solitaire sur un Grob G 115, un petit avion biplace de fabrication allemande, utilisé par la RAF pour les missions d'entraînement élémentaire. «Je ne sais pas comment quelqu'un a pu avoir assez confiance pour me placer aux commandes de cet engin», plaisante-t-il de retour sur le tarmac.

Il est ensuite envoyé sur la base de Linton, dans le Yorkshire, à deux heures de là, pour s'initier aux commandes du Turcano, un avion militaire de fabrication brésilienne. L'entraînement tout aussi intensif ne lui laisse aucune occasion de se distraire, et moins encore de fréquenter les pubs en compagnie de ses hommes comme à Bovington, ce qui, du point de vue de Kate, est une bonne chose.

Mais, cette fois, il est libre le week-end. Il parcourt en voiture le long trajet le séparant de Londres pour retrouver Kate à Clarence House. Celle-ci, qui a désormais libre accès aux appartements du prince, a passé leurs semaines de séparation à faire refaire le papier peint et modifier quelque peu le mobilier privé de William. Avant même qu'il n'ait franchi la porte, elle a déjà fait couler un bain chaud et préparé le dîner. Tous deux ont un faible pour les saucisses anglaises agrémentées de pommes de terre, que le jeune prince dévore... avant de s'écrouler, épuisé par sa semaine d'entraînement. Mais peu importe. Pour la première fois depuis leurs années d'université, les deux amoureux vivent quelque chose qui ressemble à une vie de couple, et la situation semble les ravir autant l'un que l'autre. Leurs proches voient William aider Kate à la cuisine – une première –, lui glisser au passage de rapides baisers dans le cou, tandis qu'elle a appris à deviner ses envies de solitude ou de compagnie, à anticiper ses humeurs.

Un certain nombre de circonstances extérieures les obligent à cette vie casanière. Les médias tout d'abord. En octobre, quand, pour la première fois depuis leur rupture, les deux amoureux se sont risqués à aller danser au Boujis, une bonne cinquantaine de paparazzi embusqués sur Thurloe Street dans l'espoir de capturer la première photo du couple réconcilié leur ont littéralement foncé dessus à la sortie, au point que William et ses gardes du corps ont dû non moins littéralement en venir aux mains, et que, dans la bousculade, Kate n'a échappé que de justesse à un violent coup de caméra au visage. Les photos publiées le lendemain sous le titre «Les nuits du Boujis sont de retour» ont provoqué un communiqué de protestation du bureau de presse du prince.

Une autre menace, bien plus sérieuse, a conduit la reine et le prince Charles à enjoindre aux jeunes gens de ne plus s'exposer dans les rues de Londres : Harry, qui est bel et bien parvenu à force d'obstination à se faire envoyer en Afghanistan, est depuis la cible de menaces de mort explicites publiées sur les sites Internet d'al-Qaida. Des messages que les autorités ont toutes raisons de prendre au sérieux : deux ans plus tôt à peine, le 7 juillet 2005, quatre attentats suicides ont fait cinquante-six morts et près de sept cents blessés dans les transports publics de la capitale anglaise. Les réseaux terroristes ont leurs hommes en Grande-Bretagne.

Mais ces circonstances ont du bon. Kate et William goûtent les joies simples de ce qui ressemble un peu plus chaque jour à une vie conjugale. Et le quotidien les conforte dans l'idée qu'ils sont faits l'un pour l'autre.

Le 11 avril 2008, la cérémonie de remise à William de ses ailes, qui se tient à Cranwell, est un peu l'apothéose de cette vie pré-maritale. Devant toute la presse, le prince de Galles, commandant en chef de la RAF, épingle à la poitrine de son fils le prestigieux insigne faisant de lui officiellement un pilote du prestigieux corps d'armée. Vêtue d'un manteau crème de coupe presque militaire et de bottes noires, Kate, qui a fait le voyage pour l'occasion, est assise, toute fière, aux côtés du secrétaire particulier de Wills, Jamie Lowther-Pinkerton, et de Camilla. Elle a cependant quelques raisons de s'inquiéter. Son amoureux est désormais officier de l'armée de l'air. Elle sait qu'il va tout faire pour être envoyé sur le terrain.

Et cela arrive, bien trop vite pour qu'elle ait le temps de s'y préparer. Ce même mois, le 26, le prince William atterrit à Kandahar.

***

C'est au mois de novembre précédent que, sous l'insistance têtue du prince Harry, sir Richard Dannatt, au terme de près de trois heures de discussion avec la reine et le prince de Galles, a fini par consentir à envoyer le fils cadet de Charles en Afghanistan. Lors de réunions préparatoires ultra-secrètes à Clarence House, un black-out radical a alors été mis au point avec la totalité des rédactions anglaises jusqu'au retour d'Harry sur le sol de Grande-Bretagne. Seuls deux journalistes ont été invités à la conférence de presse confidentielle, au cours de laquelle le frère de William a révélé son affectation au contrôle tactique aérien, en lien avec les bombardiers et les avions de reconnaissance de la RAF.

Au matin du 14 décembre 2007, sur la base de Brize Norton – là où, dix ans plus tôt, avait été accueillie la dépouille de Diana –, le prince Harry est monté à bord de l'un des tout nouveaux avions commandés par la RAF et l'US Air Force, un Mc Donnell-Douglas C-17 Globemaster III, immense engin capable de transporter des tanks et des hélicoptères. Il avait sur le dos quelque vingt-cinq kilos de matériel nécessaire à sa survie au cours des quatre mois à venir, dont un émetteur radio, un sac de couchage, un lit gonflable, des lunettes de protection, et une petite brosse pour nettoyer son arme du sable afghan. Il avait aussi dans la tête «un mélange d'excitation et de soulagement» à l'idée «de venir en aide à [mes] hommes [...] et de jouer

[mon] rôle », ainsi qu'il l'avait déclaré deux semaines auparavant lors de sa conférence de presse confidentielle. Son arme – un fusil d'assaut SA80 A2 massivement utilisé par la RAF depuis le début des années 2000 et considéré comme l'un des meilleurs du monde – faisait le voyage séparément et lui a été remise à son arrivée en Afghanistan.

Effective depuis 2001 en réponse aux attentats du 11 Septembre, l'offensive de la coalition dirigée par les Américains dans ce pays se donnait au départ pour but le renversement des talibans et leur remplacement par un gouvernement démocratique, au moins dans ses aspirations, capable de pacifier l'ensemble du pays. La force imprévue de la résistance talibane et la difficulté de stabiliser le pouvoir local ont amené Anglais et Américains à créer ces bases avancées qui ne sont en fait que des baraquements de fortune dans les régions les plus sauvages du pays, certaines n'étant pas même dotées d'équipements médicaux ou de pistes d'atterrissage. En 2007 et 2008, elles représentaient les points les plus faibles et les plus exposés des forces occidentales.

Le travail de Harry à Dwyer, dans la province de Helmand, a consisté, dans un premier temps, à identifier les positions talibanes au sol, à vérifier leurs coordonnées, à les rendre aussi précises que possible en vue de l'attaque. C'était un travail minutieux dont dépendait la vie des hommes en mission. Il impliquait l'étude des cartes, une surveillance extrêmement précise et critique de chaque détail des images fournies par les drones, ces petits avions de reconnaissance électroniques, et reproduites sur les écrans de contrôle vidéo. Dans un second temps, il lui fallait coordonner les raids aériens.

C'est arrivé le 20 décembre au milieu de la nuit, lorsque ses écrans ont indiqué la présence de ce qui ressemblait à une troupe talibane non loin de la base. À 10 heures le lendemain matin, les ennemis ont ouvert le feu sur une petite base anglaise voisine. En quelques minutes, Harry a donné l'alerte et s'est retrouvé, pour la première fois de sa vie, en train de guider depuis le sol deux avions de guerre F-15 chargés jusqu'à la gueule de bombes de deux cents kilos chacune. L'opération a été un succès.

Quelques jours plus tard, le 2 janvier 2008, alors qu'il se trouvait en mission de reconnaissance avec un bataillon de soldats népalais commandés par le major Mark Millford, Harry s'est trouvé avec ses hommes sous le feu d'une vingtaine de talibans embusqués sur les hauteurs. La bataille a fait rage durant quarante minutes et a permis au plus jeune des Windsor de s'illustrer avec un calibre .50.

Mais, à la fin du mois suivant, la nouvelle du prince Harry embusqué dans les montagnes afghanes et faisant le coup de feu a filtré dans un magazine australien, *New Idea*, avant d'être reprise par l'exotique et célèbre Matt Drudge, bloggeur américain ultraconservateur. Aussitôt, à Londres, le chef d'état-major Jock Stirrup et Dannatt ont pris la décision de l'évacuer. Déçu de voir son séjour écourté et amer contre la presse, le jeune prince a atterri sur la base de Brize Norton le samedi 1er mars. Il y a été accueilli par son père et son frère.

***

Il est hors de question, au vu de tout ceci, que Wills courre autant de risques que son frère. Mais comment resterait-il éloigné du terrain des opérations après que les exploits de son cadet se sont étalés sur Internet? «À mes yeux, si Harry peut le faire, je peux le faire, déclare-t-il. Tous ceux à qui je parle me disent que c'est impossible. Mais je persiste à croire que non.» La compétition entre les deux frères est inévitable.

La visite de William à Kandahar a été aussi soigneusement préparée que tenue secrète. Elle dure trente-six heures, dont vingt-deux de vol et trois sur le sol afghan, durant lesquelles le prince reste confiné au sein de la base et prend la mesure de la situation auprès des hommes de la RAF. La presse s'en fait l'écho après son retour en titrant: «William s'envole pour les zones de combat.» Bien que l'ayant infiniment moins exposé que son frère, et moins dramatique que les gros titres ne le laissaient penser, l'aventure n'était pas non plus tout à fait sans danger: deux soldats de la base s'étaient fait tuer en patrouille un peu plus tôt au cours de ce mois d'avril. Bien sûr, elle n'était guère satisfaisante. Pour l'essentiel, durant ce voyage, Wills n'aura guère fait que se familiariser avec le travail de la RAF en zone de guerre. Alors, puisqu'il ne peut envisager de rivaliser avec son frère, il met au point un autre projet.

À peine rentré, le 28 avril, il se prépare déjà à repartir cinq semaines, cette fois avec la Royal Navy, dont le navire *Iron Duke* croise au large des Caraïbes. Kate, qui a quitté Jigsaw à la fin de l'année précédente, ne se retrouve alors pas seulement confrontée à la perspective déprimante de la solitude et de l'absence d'activité. Elle se découvre aussi en butte à la presse qui le lui reproche.

Pour la première fois, en effet, les chroniqueurs royaux des tabloïds ironisent tous avec insistance sur le fait que la jeune femme, lorsqu'elle n'est pas en vacances quelque part dans une station balnéaire de luxe, semble ne rien faire de ses journées, sinon attendre William et sa proposition de mariage fantôme. À l'exception de Jigsaw, en effet, la seule expérience professionnelle que l'on connaisse à Kate est sa participation à l'entreprise familiale Party Pieces, ce qui, comme la presse commence à le noter, a quelque chose de dérisoire pour une ancienne étudiante de l'une des universités les plus prestigieuses du pays. Que ce soit par manque d'insistance ou d'opportunité, ses autres projets – tenir une galerie d'art, créer une ligne de vêtements pour enfants – ont tous fait long feu. Le résultat, c'est que ses seules apparitions publiques se font au côté de William et ont pour décor les pistes de ski suisses, les Caraïbes, ou les châteaux des Windsor. Et à quel titre, puisque Kate n'est ni fiancée ni évidemment mariée à William ? « *Waity Katie* », « Katie qui poireaute » : c'est à cette époque que le surnom commence à circuler avec insistance dans les colonnes de la presse.

Les journaux lui ont pourtant témoigné jusquelà une certaine bienveillance. Ils ont même compati aux déboires de la fille de l'ex-hôtesse de l'air confrontée aux caprices du prince héritier. Kate, surprise, ne sait pas comment réagir à ce changement d'humeur. Les journalistes sont-ils agacés par ces fiançailles qui ne viennent pas ou bien ont-ils été aiguillés, discrètement, par tel ou tel conseiller des Windsor ? Elle sait qu'au moins une personne – et non des moindres –, à Buckingham Palace, se montre impatiente.

Elizabeth II a commencé à s'intéresser à Catherine Middleton dans le courant du mois de mai, lors du mariage de l'actrice et modèle québécoise Autumn Kelly avec Peter Phillips, le fils de la princesse Anne, seule fille d'Elizabeth II et du duc d'Édimbourg. Kelly, élevée dans la religion catholique, a accepté de se convertir et de rejoindre l'Église d'Angleterre pour pouvoir convoler, ce qui donnait un relief particulier à la cérémonie. Parmi les quelque trois cents invités réunis dans la chapelle St George du château de Windsor, on a compté, outre la reine elle-même et le duc d'Édimbourg, le prince Charles, Camilla, le duc d'York et ses filles les princesses Eugenie et Beatrice, le comte et la comtesse de Wessex, et, enfin, le prince Harry accompagné de son amie Chelsy. William, au Kenya pour le mariage de Batian Craig, le frère de Jecca, s'est fait représenter par Kate. Une décision qui n'a rien d'anodin et a permis de renforcer, tout à la fois, la place de Kate auprès de l'héritier de la couronne et la perspective d'un mariage possible entre eux.

Le prince Harry a, semble-t-il, décidé de profiter de l'occasion pour présenter son amie Chelsy à la reine, qui ne la connaît pas. Cependant, selon toute apparence, c'est Kate qui fascine Elizabeth II. Les deux femmes se sont croisées la première fois en 2005, pour la remise des diplômes de St Andrews, et à l'occasion d'autres cérémonies officielles, mais ne se connaissent pas. La reine a de longue date une sympathie instinctive pour les *self made women*. Elle trouve la fiancée de son petit-fils redoutablement élégante, en veste cintrée, un petit chapeau *fascinator* noir penché sur sa tête, et surtout remarquablement à son aise, seule au milieu de toutes ces figures royales. Elle est séduite par le mélange d'audace et de réserve de Kate, et le fait savoir. Le mois suivant, quand William reçoit le titre de chevalier de l'ordre de la Jarretière, c'est avec l'aval d'Elizabeth que Kate est de nouveau présente pour le voir parader, la tête couverte du traditionnel chapeau surmonté de plumes d'autruche.

Mais cet intérêt est à double tranchant. «Que fait exactement Kate?», interroge la reine en privé. Personne à la cour ne peut lui donner de réponse, et pour cause. Alors qu'éclate la crise financière, que le pays s'enfonce dans la récession et que le chômage augmente, la future épouse de son petit-fils ne fait, à proprement parler, rien.

« C'est l'opinion de Sa Majesté : si Kate veut un jour devenir l'épouse de William, il lui faut un métier à elle. » Cette remarque de l'un des proches de la reine est rapportée le 1er juin 2008 dans le *Mail on Sunday* par la journaliste Katie Nicholl. Aussitôt, les bloggeurs prennent le relais, et les commentaires sarcastiques s'accumulent. Kate est sous le choc. Bien que, à Clarence House, les responsables de la communication de William lui conseillent de ne pas réagir, la jeune femme organise une réponse dans le magazine populaire anglais *Hello!*, qui publie une brève mentionnant le travail « à temps plein » de Kate auprès de ses parents. La maladresse est amplifiée, quelques jours plus tard, avec une photo en noir et blanc de Kate fièrement exhibée sur le site Internet de Party Pieces, comme une preuve de travail effectif. La presse se montre ironique, l'effet est désastreux, et l'image rapidement retirée.

En vérité, la situation de la jeune femme à cette époque est assez justement décrite par sa mère comme « impossible » : soit elle met son temps et son énergie à la disposition de William dans l'espoir qu'il finira par la demander en mariage, et elle se trouve alors la proie des tabloïds et de la cour qui lui reprochent son oisiveté, soit elle suit en indépendante son propre chemin au risque de voir William s'éloigner, occupé par ses obligations royales et le souci de sa carrière militaire. La suite des événements illustre bien ce que ce dilemme a d'infernal.

En septembre, suivant la suggestion de la reine, Kate rejoint l'association humanitaire Starlight. Créée à Los Angeles en 1983 par l'actrice anglaise Emma Samms (l'héroïne de *Dynasty*, notamment), Starlight se consacre au soutien des enfants atteints de maladies incurables. Ses activités s'étendent des États-Unis au Canada, de l'Angleterre à l'Australie en passant par le Japon. Voilà qui devrait calmer la presse en donnant à Kate un vrai statut. De plus, il s'agit d'un travail utile, passionnant, qui l'intéresse réellement. C'est alors, le 15 du même mois, que le bureau de presse de William annonce une nouvelle qui prend Kate et tout Buckingham par surprise : l'héritier de la couronne va rejoindre la RAF et devenir pilote d'hélicoptère spécialisé dans les missions de sauvetage.

Si, du point de vue de William, la décision est parfaitement cohérente, pour Kate, c'est rien moins qu'un coup de tonnerre. Elle doit désormais se projeter dans le rôle de petite amie d'un pilote dans une base quelconque de la campagne anglaise alors même que, semble-t-il, il n'en a pas discuté une seule fois avec elle. Va-t-elle devoir quitter Starlight, où elle vient à peine de commencer ? Mais le choc n'est pas moins grand pour le palais royal, qui voit l'image des Windsor de nouveau écornée.

Kate n'est en effet pas la seule à se voir reprocher son oisiveté. William a vingt-six ans, un âge auquel, notent les chroniqueurs, la reine était déjà sur le trône. Lui est toujours célibataire et en formation permanente, à ce qu'il semble. Mais formé pour quoi ? Ses trente-six heures en Afghanistan sont moquées pour leur brièveté. Les reportages publiés durant l'été 2008 sur son engagement dans la Royal Navy à bord du *Iron Duke* dans les Caraïbes, et sa participation à l'arraisonnage et à l'arrestation d'un navire rempli de cocaïne au large de la Barbade sont dénoncés comme « à peine plus qu'un exercice de communication superficiel destiné à vendre William au public et, à travers lui, la marque Windsor », s'offusque Republic, le féroce lobby antiroyaliste anglais, qui ajoute : « Il n'y a aucune raison pour les Windsor de servir dans l'armée. »

William est bien décidé à prouver le contraire. Il sait que sa décision va à contre-courant de l'opinion, comme de ce que l'on attend de lui à Buckingham, et, bien sûr, des espoirs de Kate. Mais il s'obstine. Sens politique, intuition : il est convaincu que, contre toute attente, ce choix de carrière va compenser le fait qu'il n'a pu servir en Afghanistan, réconcilier les devoirs humanitaires royaux et son désir d'une carrière militaire ; en bref, résoudre d'un coup tout le problème d'image de la jeune génération des Windsor. L'avenir va lui donner raison, mais, pour le moment, la pilule passe difficilement. Le métier de pilote secouriste est dangereux et nécessite, de plus, une période de formation d'environ dix-huit mois. Pour Kate, cela signifie autant de temps de solitude et d'éloignement.

***

Tandis que l'héritier de la couronne passe de la Royal Navy à la RAF, son frère Harry passe quant à lui son temps entre les bases de Cranwell et de Barkston Heath pour devenir pilote d'hélicoptère d'attaque, et son exemple illustre parfaitement ce que Kate est en droit de redouter. Depuis son retour d'Afghanistan en juillet 2008, en effet, le prince et son amie Chelsy ont à peine eu l'occasion de se voir. Accompagné d'une vingtaine de membres des Horses Guards, Harry s'est presque aussitôt envolé pour le Lesotho où il a ouvert une école pour enfants, avant de partir en Afrique du Sud retrouver William. Motards accomplis, les deux frères ont participé à l'Enduro Africa, le rally de moto sud-africain de mille six cents kilomètres reliant en une semaine Port Edward et Port Elizabeth. Une occasion de mêler l'aventure et l'humanitaire, puisqu'ils en ont profité pour lever trois cent mille livres sterling aussitôt versées à des associations d'aide à l'enfance en Afrique. À peine rentré, en janvier 2009, Harry a pris le chemin de Middle Wallops, le quartier général de l'armée de l'air britannique, dans le Hampshire. À Cranwell comme à Barkston Heat, l'entraînement réclame toute sa concentration et suppose une discipline de chaque instant avec aussi peu de distractions que possible. Or, contrairement à Kate, Chelsy a un métier. Courant 2008, elle a achevé ses études de droit à l'université de Leeds, pris un premier poste au sein du cabinet Allen & Overy, et son temps ne lui permet pas, pour autant qu'elle en ait envie, d'être à la disposition du prince ou de venir lui rendre visite à la base lors de ses rares moments de liberté. Coincée à Londres, sans ses proches – toute sa famille habite en Afrique du Sud –, Chelsy déprime rapidement. Au printemps 2009, non sans lui avoir retourné la bague dont il lui avait fait cadeau pour son anniversaire, elle change, sans l'en avertir, son statut sur sa page Facebook : elle passe de « en couple » à « célibataire ». La nouvelle se retrouve dans les colonnes du *Mail on Sunday* avant même qu'Harry ne soit au courant.

Ce dernier va se venger tout aussi publiquement, quelques semaines plus tard, en s'affichant dans un club de Chelsea en compagnie de la présentatrice de télévision britannique Natalie Pinkham. D'autres suivront bien vite, telle Astrid Harbord, une amie de Chelsy, étudiante à l'université de Bristol, ou Caroline Flack, une autre présentatrice télé. Pour Kate, la leçon est rude. Le destin de Chelsy ne l'attend-il pas, elle aussi, pour peu qu'elle fasse preuve d'indépendance ou d'impatience ?

D'autant que d'autres fardeaux pèsent sur les épaules de William en ce début d'année 2009. Buckingham observe en effet d'un œil attentif et critique les carrières militaires d'Harry et William. L'opinion, toujours aussi peu convaincue par le goût des deux frères pour l'uniforme, leur reproche maintenant leur manque d'engagements royaux, ces marques d'attention aux questions sociales et humanitaires qui font partie des obligations de la famille royale et sont l'un des points de friction récurrents entre les Windsor et l'opinion britannique. Le 23 février, le magazine d'investigation de Channel 4 «Dispatches» révèle que William n'a pas rempli plus de quatorze engagements pour toute l'année 2007, dont cinq liés à des activités sportives agréables. Au même âge, son père s'acquittait de quatre-vingt-quatre par an. William, ouvertement traité de fainéant par le magazine, est furieux. Clarence House déclenche aussitôt une contre-attaque médiatique. «Aucun autre membre des forces armées ne pourrait être accusé de paresse, fait-on savoir, c'est de la discrimination à l'envers. Et c'est particulièrement insultant pour les camarades du prince à la RAF qui s'investissent autant que lui.» En privé cependant, l'héritier de la couronne fait part à sa grand-mère de son intention d'augmenter le nombre de ses actions humanitaires. Or, entre Harry et lui, celles-ci sont bien plus élevées que ne l'affirme Channel 4 puisque, pour l'année 2008, elles se montent à soixante. À lui seul, William est parrain de l'English Schools' Swimming Association, qui promeut les sports nautiques à l'école, de Mountain Rescue England and Wales, une association de sauvegarde en montagne, de Skill Force, fondation consacrée à l'aide aux étudiants, de HSM Alliance Conservation Appeal, association des musées de la marine de guerre, du Tusk Trust, qui met au point des programmes de préservation de la nature en Afrique, du Centrepoint Charity, spécialisé dans l'aide aux sans-abri, et du Child Bereavement Charity, qui concentre ses efforts sur les enfants des familles nécessiteuses. Et la liste n'est pas exhaustive. Kate est convaincue qu'une surcharge de travail dans ce domaine se traduirait pour elle par un peu plus de solitude. Elle n'a pas tort.

Au printemps, sur une idée d'Harry, et avec l'accord de la reine qui finance le voyage, les deux frères s'envolent pour New York. Leur but : participer à un match de polo destiné à lever des fonds pour Sentebale, l'association humanitaire créée par le cadet pour venir en aide aux orphelins du Lesotho. Ils arrivent en terrain conquis : les États-Unis se passionnent pour les Windsor depuis toujours et étaient notamment fous de Diana. *Time*, le *New York Daily News*, CBS s'enflamment pour Harry lorsque ce dernier visite Ground Zero, rencontre quelques familles des victimes de l'attaque terroriste et plante un arbre dans le British Memorial Garden à Manhattan. Le prince visite également la Children's Zone à Harlem, cette association caritative de soutien scolaire et médical aux enfants défavorisés où, vingt ans plus tôt, Lady Di a été immortalisée en train de porter dans ses bras un enfant atteint du sida. William rejoint son frère pour le match, organisé sur Governors Island, et la visite s'achève par la remise d'un chèque de cent mille livres sterling à Sentebale. L'opération est un succès.

À peine de retour, dans les premiers jours de juin 2009, les deux frères donnent une interview commune à la presse depuis la base de la RAF de Shawburry, où ils partagent un cottage. Ils évoquent devant les caméras leur engagement militaire. «Retourner en Afghanistan serait fantastique, avoue Harry, et la plus grande chance pour que cela se produise serait de le faire en hélicoptère.» William confirme pour sa part: «Je ne me suis pas engagé pour être mis dans du coton ou être traité différemment.»

L'entretien est manifestement destiné à rehausser l'image des deux princes. Ils vivent, expliquent-ils, une vie aussi normale que possible, exception faite des sempiternels gardes du corps, font eux-mêmes le ménage et repassent leur linge.

«Harry fait bel et bien la lessive, commente William sur un ton enjoué, sauf qu'il l'oublie généralement dans l'évier. Donc je dois tout relaver le matin quand je me lève. Je dois souvent ranger pas mal après son passage. Et il ronfle aussi beaucoup. Il me tient éveillé toutes les nuits.» À quoi Harry rétorque avec une grimace: «*Oh God!* Ils vont s'imaginer qu'on partage le même lit! Nous sommes frères, nous ne sommes pas amants!»

Plaisanterie à part, la réflexion illustre parfaitement la remarquable absence de femmes dans la vie des deux frères, qui semblent retournés à une vie d'étudiants.

Kate, pour sa part, ne voit guère William que durant certains week-ends, et partage le reste de son temps entre son appartement de Londres et la maison de ses parents dans le Berkshire, où elle conserve sa chambre d'adolescente. Lorsqu'elle se trouve dans la capitale, elle sort peu, à la demande de Wills, ce qui l'isole d'autant plus que la plupart de leurs amis communs sont désormais mariés. En mai, dans le château de Boumois, au cœur de la vallée de la Loire, Fergus Boyd a épousé l'une de ses meilleures amies, Sandrine Janet, et Oliver Baker, un autre ami du couple, est fiancé. Kate et William, qui devaient se rendre au mariage de Boyd, ont annulé au dernier moment; Wills par crainte de la foule et Kate par peur de s'entendre demander: «Et vous, c'est pour quand?»

Célibataire par force, ne voyant presque jamais son fiancé, c'est une période difficile pour Kate, qui n'a d'autre choix que de s'accrocher au souvenir du pacte qu'elle et William se sont juré de respecter aux Seychelles, deux ans plus tôt. Or, c'est justement durant cette période d'isolement et de doute que le destin choisit de jouer à la jeune femme un tour supplémentaire.

***

« J'ai traité William de connard ! »

Sous les yeux atterrés de Kate, le titre s'affiche en caractères gras en une du plus important tabloïd d'Angleterre, *News of the World*. La phrase illustre la photo d'un homme chauve et gras, en caleçon, un tatouage sur l'épaule, un billet de cent euros roulé dans une main, une ligne de cocaïne étalée sur la table devant lui : il s'agit de son oncle, Gary Goldsmith, quarante-quatre ans, le frère de sa mère Carole.

La photo a été prise à Ibiza, où Goldsmith possède une villa de cinq millions de livres douteusement baptisée « Maison de Bang Bang ». Ses initiales y sont gravées en or sur le mur du portail extérieur. Deux reporters du journal se sont, semble-t-il, infiltrés chez lui sous une fausse identité et l'ont fait parler. En 2006, à en croire ses confidences, William et Kate auraient échappé aux services de protection de la maison royale et seraient venus se faire héberger chez lui quelques jours. « Mes premiers mots au prince William ont été : "Eh, connard, tu as cassé toutes mes pyramides en verre !" », raconte fièrement Gary Goldsmith. Le prince et l'un de ses amis, jouant au ballon dans les lieux, auraient brisé les pyramides en verre dont Goldsmith avait, apparemment, décoré sa villa.

Comme pour aggraver les choses, dans une succession de propos décousus dûment rapportés par le journal, l'homme annonce savoir de source sûre que William et Kate vont se marier dans l'année.

Et, cerise sur le gâteau, le journal laisse entendre qu'il a proposé à ses deux reporters, en plus de la cocaïne qui s'étale sur sa table, de leur fournir des prostituées à six cents livres sterling la nuit.

Gary Goldsmith est de longue date le mouton noir de la famille Middleton. Un proche anonyme révèle d'ailleurs au *Daily Mail* qu'il est « suicidaire. [...] Un accident de ce genre devait finir par se produire. » En attendant, Kate est effondrée. Et les messages téléphoniques de soutien qu'elle reçoit ce matin du 19 juillet chez ses parents, où elle s'est réfugiée, ne parviennent pas à calmer sa panique. Pas même le prince Charles, qui l'appelle à son tour pour lui assurer que toute l'affaire est sans conséquence. Comment pourrait-elle le croire ? Kate sait d'expérience qu'il n'aime pas la presse et la lit peu. A-t-il seulement vu l'article ? Et que se passera-t-il si Gary, ivre de succès médiatique, décide de parler à d'autres journalistes ? Autour d'elle, Carole et Michael bouclent frénétiquement leurs sacs de voyage. La seule façon d'échapper aux paparazzi massés autour de la maison, comme ils le savent, est de vider les lieux et de fuir tous ensemble à l'île Moustique, où les Robinson leur ont offert le refuge de leur villa. Selon le compte-rendu de l'incident par Katie Nicholl, William lui-même aurait appelé Kate ce jour-là pour lui assurer qu'elle n'avait pas à s'en faire et que toute l'histoire serait oubliée en moins de vingt-quatre heures. Mais, s'il ne fait guère de doute que le coup de fil a bien eu lieu, il est peu probable qu'il n'ait contenu que ces paroles rassurantes.

À vrai dire, il n'y a pas beaucoup d'explications satisfaisantes au fait que le scandale ait effectivement disparu des colonnes de journaux aussi rapidement. D'après le site français News de star, des représentants de la famille royale – des membres des services de sécurité? – auraient rendu visite à Gary Goldsmith ce mois de juillet 2009. Après quoi l'oncle de Kate, pris d'une illumination soudaine, réalisant que «l'argent et un style de vie onéreux n'étaient pas nécessaires au bonheur», aurait «bouleversé sa vie».

Quelle que soit l'explication, en tout cas, un fait est certain: quinze jours plus tard, Kate est de retour de l'île Moustique bronzée et radieuse et se rend, au bras de William, au mariage de leur ami Nicholas van Cutsem. Et l'on peut penser qu'elle a toutes les raisons de sourire comme elle le fait. Certes, un recul de la famille royale sous le coup du scandale aurait été du plus mauvais effet vis-à-vis de l'opinion. Mais la réaction des Windsor n'indique-t-elle pas aussi que Kate est désormais partie intégrante du clan et que celui-ci fera tout ce qui est en son pouvoir pour qu'elle y reste? De fait, l'épisode Gary Goldsmith semble marquer le début d'une accélération sur le chemin qui conduit aux fiançailles des deux amoureux.

***

Chez les Windsor, un comité restreint appelé « The Way Ahead Group », « le Comité prévisionnel », en quelque sorte, se réunit deux fois par an dans le salon privé de la reine à Balmoral. Initialement créé au milieu des années 1990, il regroupe les principaux membres de la famille royale ainsi que leurs secrétaires particuliers, avec l'objectif de réformer l'institution monarchique pour la mettre davantage en phase avec son époque, de planifier autant que possible les événements, à court mais aussi à long terme. Certaines sources indiquent que William et son frère y siègent désormais. L'une de ces réunions s'est tenue durant l'été 2009 et l'on peut se demander si ce n'est pas à cette occasion que, tout en réglant le scandale Goldsmith, le mariage entre Kate et William a été décidé. À partir de l'automne, en tout cas, on sent les Windsor passer à la vitesse supérieure.

En septembre, les deux fils de Charles et Diana montent une structure commune, la Foundation of Prince William and Prince Harry qui, pour éviter à l'avenir les critiques sur leurs engagements royaux, centralise désormais l'ensemble de leurs actions caritatives. À eux deux, les deux frères parrainent ainsi plus de vingt associations et organisations auxquelles ils consacrent plusieurs centaines de milliers de livres sterling issues de leurs fortunes personnelles. Un tiers des sommes levées vont ainsi à des organismes de soutien aux soldats blessés au front et d'aide aux anciens combattants.

Parallèlement, ce même mois, Kate organise un dîner en faveur de Starlight, l'association humanitaire pour laquelle elle travaille. L'événement a lieu dans la galerie Saatchi, à Londres, et William est présent. Mais, significativement, les photographes ont interdiction de capturer le couple. Ce même automne encore, un peu plus tard, c'est la reine elle-même qui, à la surprise générale, organise un rendez-vous avec la Press Complaints Commission, un organisme anglais indépendant qui se donne pour but la formation des journalistes, l'aide aux victimes de harcèlement médiatique, et milite pour l'adoption par l'ensemble de la presse britannique d'un code de bonne conduite. Est-ce pour éviter un nouveau scandale de type Goldsmith, étouffé de justesse ? Est-ce dans la perspective du mariage princier, et pour éviter que ne se reproduise l'épopée Diana ? Tout cela à la fois ? Quelque chose, en tout cas, est manifestement en train de changer dans la relation des Windsor – et de Kate – avec la presse. Quand, le 25 décembre 2009, Catherine Middleton est photographiée jouant au tennis au cours de vacances en famille à Restormel Manor, une maison louée au duché de Cornouailles, aucun journal anglais ne se risque à publier les clichés, pourtant exécutés par l'un des paparazzi les plus célèbres, Niraj Tanna. Et lorsqu'un tabloïd allemand se décide à les imprimer, Kate donne l'ordre aux avocats de la famille royale, Hartbottle & Lewis, d'intenter une action contre lui. En mars 2010, Tanna aurait versé dix mille livres sterling de dommage et intérêts pour violation de la vie privée.

C'est à cette même réunion du Way Ahead Group qu'a, semble-t-il, été prise une décision cruciale. Elle concerne les voyages officiels des Windsor à l'étranger. Le Foreign Office en a prévu trois pour le seul automne : au Canada, aux Bermudes, en Nouvelle-Zélande et Australie. Elizabeth II et le prince Philip iront aux Bermudes, Charles et Camilla représenteront le couple royal au Canada. Le nom de William lâché pour représenter la reine en Australie à la fin de l'année est clairement un choix politique, mais un choix risqué. Les sondages effectués tant à Sydney que dans l'île voisine indiquent que 40 % des Néo-Zélandais et 60 % des Australiens sont favorables à la république ; sur place, les journaux locaux s'offusquent déjà de l'argent public consacré à la sécurité du fils aîné du prince Charles ; et le *Sunday Star Times* a qualifiée de « pourrie », rien de moins, la monarchie anglaise. « Charles est un imbécile qui a trompé sa prestigieuse épouse dès le début de son mariage », a même ajouté l'hebdomadaire australien sans amabilité. La visite des Windsor sur place s'annonce donc potentiellement désastreuse. C'est cependant aussi un pas décisif dans la mise en application d'un plan décidé par la famille royale consistant à mettre désormais William au premier rang. Purement spéculative jusque-là, l'existence de ce plan est révélée en décembre 2009 lorsque le *Mail on Sunday* publie un document confidentiel émanant du ministère des Finances britannique. Rédigé au printemps précédent, il s'agit d'une note préparatoire soumise au Budget pour acceptation. La phrase clé est cependant sans ambiguïté : « Dès l'année prochaine, il est à prévoir que Son Altesse le prince William passera une part significative de son temps en obligations officielles [...] au nom de la reine[1]. » Le *Mail on Sunday*, et à sa suite une bonne part de la presse anglaise, soupçonne alors William de vouloir régner dans l'ombre. En fait, le but semble plus simplement de commencer de façon sérieuse l'entraînement royal du prince, comme l'indiquent les démentis scandalisés aussitôt publiés par le Palais : « Il n'y a aucun projet visant à ce que la reine diminue le nombre de ses engagements, et aucun projet visant à ce que le prince prenne sa place. » Clarence House n'est pas en reste : « Le prince William ne sera pas un roi dans l'ombre, énonce on ne peut plus clairement le service de presse de Wills. Dans les années à venir, le prince William se concentrera en premier lieu sur sa carrière militaire, tout en augmentant légèrement ses patronages humanitaires et ses autres centres d'intérêt. »

« Le prince de Galles est un homme enthousiaste et passionné, William souhaite que ce soit lui qui soit en pleine lumière, confie un membre de son entourage au très sérieux *Sunday Telegraph*. Il ne veut

---

1. Cité par Katie Nicholl.

pas qu'on le place dans une position qui n'est pas la sienne avant que le moment soit venu, et surtout pas avant qu'il soit prêt à l'assumer. Loin d'être en compétition l'un avec l'autre, Charles et lui sont au contraire solidaires. L'un partant pour faire équipe avec son père, défendre son bilan et le seconder lorsqu'il montera sur le trône – ils ne seront pas trop de deux pour faire face aux mille problèmes que posera la succession d'Elizabeth II –, l'autre prêt à tous les sacrifices pour permettre à son fils de mener sa vie comme il·l'entend aussi longtemps qu'il le pourra. »

Reste que le mouvement, entamé en 2007 avec le concert à la mémoire de Diana et la mise en vedette de ses deux fils, monte depuis en puissance et passe inéluctablement par la figure de plus en plus centrale de William.

Sa personnalité, son obstination, et l'énergie avec laquelle il est parvenu à transformer ses conflits intérieurs en force font du jeune prince la personne la mieux équipée et la mieux à même de comprendre par quels moyens passe la rénovation de la monarchie dont sa mère a eu, la première, l'intuition. D'une certaine manière, Diana a été consumée par cette intuition. Qui mieux que son fils aîné, celui qui dans son enfance a été le plus proche d'elle, pourrait la mener à bien ? Il y a dix ans déjà, deux semaines après son dix-huitième anniversaire, William a choisi une manière bien à lui d'illustrer face au monde la fierté qu'il éprouve à l'égard de ses origines et la force qu'il en tire. Il a dévoilé le dessin de ses armoiries s'il devient un jour William V, mélange des armoiries royales et du motif dont le blason de la famille de sa mère, les Spencer, s'orne depuis le XVIe siècle. C'est là le signe d'une volonté manifeste de perpétuer le souvenir de Diana et d'assumer pleinement son double héritage familial.

Non moins significativement, Buckingham n'a eu qu'à se féliciter de la bouffée d'air frais apportée par la visite de William en Australie et en Nouvelle-Zélande. Il était difficile de ne pas songer à Lady Di en observant les quelque deux mille personnes – bien plus que ce qu'on attendait – se presser avec ferveur pour l'apercevoir lors de sa visite au palais de Wellington. Il a su mêler l'humilité de son père, en rencontrant les Maoris, à la compassion chaleureuse et sans crainte de sa mère en visitant un centre social de Sydney, et en entamant un dialogue avec une petite orpheline de six ans. La presse, bientôt complètement retournée, ne s'y est d'ailleurs pas trompée. « Maman serait fière », titre le tabloïd *Herald Sun* pour saluer sa prestation.

***

Diana – symboliquement présente grâce à la bague de fiançailles – serait sans doute également fière de voir son fils aîné épouser Catherine Middleton, tant il semble évident qu'il a trouvé en elle la compagne de confiance, drôle, à la fois solide, secrète et présente dont il a besoin.

Leur mariage est l'un des événements médiatiques les plus gigantesques et les plus branchés de ce début de siècle.

À quoi pense Kate ? Peut-être tout simplement au futur qui les attend. « Katie qui poireaute », l'appelait la presse autrefois. Mais être un personnage royal, n'est-ce pas, d'une certaine manière, toujours attendre l'avenir ? Début 2012, la reine Elizabeth fêtera tout à la fois son quatre-vingt-sixième anniversaire et son jubilé de diamant, marquant le soixantième anniversaire de son règne. Charles, lui, sera alors le prince de Galles le plus âgé de l'histoire de la monarchie. Mais sous l'égide de Kate et William, désormais, cette configuration particulière semble prendre un sens neuf. Non plus celle d'une attente éternelle mais d'une famille soudée, prête à affronter le XXIe siècle de la façon la plus moderne qui soit.

Toujours en 2012, après le jubilé, Londres accueillera les jeux Olympiques, un nouvel événement d'envergure. Kate et William y auront sans doute un rôle important. Outre-Manche, on parie déjà sur un voyage officiel du jeune couple au Canada après son mariage, une sorte de baptême du feu qui permettrait à Kate de se familiariser avec ses nouveaux devoirs. La jeune femme, elle l'a dit elle-même, compte désormais sur son prince pour la guider dans les méandres du *royal show* et veiller à ce qu'elle ne se retrouve pas brutalement précipitée dans le chaudron de la gloire. C'était l'expérience douloureuse qu'avait vécue Lady Di en 1981, lorsque, inexpérimentée et passablement immature, elle avait été exposée sans préparation aucune à l'adoration des foules.

Par une curieuse ironie de l'Histoire, William et Kate ont choisi de convoler l'année du trentième anniversaire des noces de Charles et Diana. Si elle avait vécu, celle-ci aurait sans doute mis en garde sa belle-fille contre les pièges de la notoriété et les chausse-trapes d'une existence de princesse où le plus difficile semble bien de protéger sa vie privée – et sa liberté. Elle aurait sans doute apprécié le caractère enjoué de Miss Middleton, la détermination avec laquelle elle s'est efforcée de garder son couple vivant, l'amour et la loyauté dont elle a toujours fait preuve vis-à-vis de William. Elle aurait peut-être tenté de la mettre en garde contre la tentation qu'ont toutes les apprenties princesses de vouloir trop bien faire, de mettre leur propre personnalité entre parenthèses dans l'espoir de se couler plus facilement dans le moule d'une royauté parfaite. Il est encore trop tôt pour dire de quelle manière Kate influera sur l'image et la popularité de la monarchie, mais on peut déjà porter à son crédit le fait qu'elle a su plaire à toutes les couches de la société britannique : des plus modestes, qui saluent l'accession au sommet de la hiérarchie royale de cette jolie roturière sans pedigree particulier, aux classes aristocratiques, qui ont finalement reconnu dans les manières impeccables et la distinction de la jeune femme les qualités de l'une des leurs. Une chose est sûre : le couple qu'elle forme avec William incarne le renouveau d'une dynastie millénaire et porte en lui tous les espoirs.

L'amour a déjà tant de fois changé – pour le meilleur – le cours de l'Histoire...

Table

Cet ouvrage a été composé
par PCA

Achevé d'imprimer par

Transcontinental Gagné

en mars 2011
pour le compte des Éditions de l'Archipel
département éditorial
de la S.A.S. Écriture-Communication

Imprimé au Canada

Dépôt légal : avril 2011